# VOUS ET VOTRE

# BULLMASTIFF

**Couverture**
- Conception graphique:
  Katherine Sapon
- Illustration:
  Anik Lafrenière
- Photos:
  Maryse Raymond

**Maquette intérieure**
- Photos:
  Maryse Raymond

Le Bullmastif appartient à Mme Lise Landry.

DISTRIBUTEURS EXCLUSIFS:

- Pour le Canada:
  **AGENCE DE DISTRIBUTION POPULAIRE INC.***
  955, rue Amherst, Montréal  H2L 3K4 (tél.: 514-523-1182)
  Télécopieur: (514) 521-4434
  * Filiale de Sogides Ltée

- Pour la France et l'Afrique:
  **INTER FORUM**
  13, rue de la Glacière, 75013 Paris (tél.: (1) 43-37-11-80)
  Télécopieur: 43-31-88-15

- Pour la Belgique, le Portugal et les pays de l'Est:
  **S. A. VANDER**
  Avenue des Volontaires, 321, 1150 Bruxelles
  (tél.: (32-2) 762.98.04)
  Télécopieur: (2) 762-06.62

- Pour la Suisse:
  **TRANSAT S.A.**
  Route des Jeunes, 19, C.P. 125, 1211 Genève 26
  (tél.: (22) 42.77.40)

# VOUS ET VOTRE

# BULLMASTIFF

PIERRE VAN DER HEYDEN

**Collection «Nos animaux»
dirigée par Odette Eylat**

LES ÉDITIONS DE L'HOMME

**Données de catalogage avant publication (Canada)**

Van der Heyden, Pierre

    Vous et votre bullmastiff

    (Collection Nos animaux).

    ISBN 2-7619-0829-5

    1. Bullmastiff. I. Titre. II. Collection.

SF429.B86V36   1989     636.7'3    C89-096286-3

*Bibliothèque nationale du Québec*
*Dépôt légal — 2ᵉ trimestre 1989*

ISBN 2-7619-0829-5

*À Michel Chambon
et à toute sa famille,
amicalement.*

# La carte d'identité

Solide et actif, le Bullmastiff donne une impression de grande force mais sans lourdeur.

# Ses origines

Avant d'en venir aux origines du Bullmastiff, laissez-nous vous raconter une petite histoire.

Il était une fois un Lhassa Apso, qui, comme tout bon chien tibétain, gardait fièrement la propriété de son maître avec un sens du devoir excluant toute dérogation. Il était sûr de son bon droit. Pour son malheur, il avait un voisin Bullmastiff qui adorait flâner sur le territoire interdit. Notre Tibétain avait beau émettre les incantations bouddhistes les plus dissuasives sous forme de jappements aigus, le Bullmastiff restait de glace et, flegmatique, en bon descendant de la race britannique, il continuait sa promenade. Prenant alors son courage à quatre pattes, notre Lhassa Apso se lança, tous crocs dehors, à l'assaut de l'énorme et le mordit malicieusement. Le Bullmastiff ne s'en émut pas et continua à piétiner le terrain qui ne lui appartenait pas... Le Lhassa Apso en resta la gueule ouverte de saisissement et commença à se demander s'il n'y avait pas un os là-dedans! Oui, il y en avait un: la bonté congénitale du Bullmastiff qui, voyant un plus petit que lui le harceler, le laissait faire sans sourciller...

Toute personne s'intéressant aux chiens comprendra très vite que le nom du Bullmastiff est composé de deux autres noms de chiens, également d'origine britannique, le Bulldog et le Mastiff. Mais certains cynologues trouvent l'explication un peu simpliste.

On a en effet retrouvé en Angleterre un document intitulé *Lois de la Forêt*, datant de 1272, rédigé par un certain Manwood, document traitant des «Mastiffs et chiens de ce genre, qui sont la parenté du Mastiff». Comme nous le rapporte M. Gilbert Colas, vice-président du Club français du Bullmastiff et du Mastiff, il n'existait certainement pas, à cette époque, de Saint-Bernard ou de Terre-Neuve dans les forêts anglaises. Il se peut donc qu'il y ait déjà eu au XIIe siècle des chiens ressemblant au Bullmastiff dans les Îles britanniques.

Cela dit, il faut admettre que l'on ne commence à parler sérieusement du Bullmastiff qu'au cours de la seconde moitié du XIXe siècle, grâce à des propriétaires de grands domaines qui n'arrivaient pas à se débarrasser des braconniers et des maraudeurs. À la fin du XIXe siècle, une loi fut même mise en application, rendant passible de la peine de mort tout braconnier pris sur le fait. Mais ces délinquants n'en furent pas calmés pour autant, ils s'armèrent et préférèrent tuer le garde-chasse plutôt que de risquer d'être appréhendé. Les gardes-chasse devenant de plus en plus rares, les grands propriétaires décidèrent de protéger ceux qui restaient en leur donnant un chien capable de les avertir de la présence de braconniers et même de se battre pour défendre leur vie. Ce chien possédait les meilleures caractéristiques du Bulldog et du Mastiff.

Mais pourquoi le Bulldog? Et pourquoi le Mastiff? Le Bulldog fut choisi à cause de sa puissance et de son courage à toute épreuve. Cet animal assez agressif et même parfois féroce est un chien silencieux, parfait pour la surveillance de nuit. Son agressivité, comme nous vous l'avons déjà fait observer, a été entretenue pendant des siècles; il fut un temps où il combattait des taureaux dans l'arène. Le Mastiff, lui, était plutôt lourd et ses caractéristiques le portaient plutôt à la défense qu'à l'attaque. Il était connu dans les campagnes anglaises comme un molosse courageux, terrible au combat et ne lâchant pas sa proie. C'est le croisement de ces deux chiens qui donna donc le Bullmastiff, auquel on ajouta une dose du sang du Bloodhound afin d'améliorer ses qualités olfactives. Le Bullmastiff, composé à 60 p. 100 de Mastiff et à 40 p. 100 de Bulldog, donna satisfaction aux grands propriétaires ainsi qu'aux gardes-chasse qui se sentirent soulagés d'être protégés par ce chien à l'allure débonnaire toujours prêt à défendre son maître contre les braconniers, à les arrêter grâce à son agilité, puis à les neutraliser en se couchant sur eux de tout son poids. Le garde-chasse n'avait plus alors qu'à ramener le malfaiteur au propriétaire, qui lui faisait passer un mauvais quart d'heure, inutile de le préciser...

L'on peut affirmer, sans risquer vraiment de se tromper, que ce fut un certain M. S. F. Mosley qui permit à cette race d'être reconnue.

Un club fut fondé en 1924 et le Kennel Club d'Angleterre reconnut officiellement la race en 1928. Le club décida que seuls les chiens descendant de trois générations ou plus de Bullmastiffs de race pure pourraient être enregistrés.

L'American Kennel Club reconnut la race en 1924 mais ce n'est qu'en 1931 que l'on commença sérieusement à s'y intéresser, grâce aux expositions canines.

Il serait bon, avant de faire l'acquisition d'un Bullmastiff, de vous adresser à un conseiller canin qui vous guidera dans votre choix. Le conseiller canin tiendra compte de votre façon de vivre et de ce que vous attendez d'un chien. Il jugera sagement si la personnalité du Bullmastiff ne risque pas de se heurter à la vôtre, si son tempérament ne risque pas de vous énerver, si vous disposez d'assez de temps et de patience pour vous en occuper et, surtout, si la place dont vous disposez est suffisante pour le Bullmastiff; n'oubliez pas que sa taille est plutôt au-dessus de la moyenne.

Grâce au conseiller canin, vous serez certain d'avoir fait le meilleur choix et vous éviterez ainsi les surprises désagréables; ayez confiance en lui, vous ne le regretterez pas.

Nous vous proposons plus loin une série de tests, en particulier le test de Campbell, que vous pourrez faire passer à votre Bullmastiff vers l'âge de sept semaines afin de mieux cerner ses tendances fondamentales. Vous pouvez aussi exiger, à l'achat, que votre conseiller canin fasse lui-même passer ces tests.

Vous aurez ainsi près de vous un chien docile et digne de confiance. Il sera doux et affectueux. Il est, en outre, un des meilleurs chiens de garde que l'on connaisse, à condition d'être dressé avec intelligence et fermeté. Votre Bullmastiff deviendra ainsi le chien de compagnie par excellence.

# Les traits de caractère du Bullmastiff

## Ses qualités

Vous savez maintenant que le Bullmastiff est le résultat du croisement du Bulldog et du Mastiff... mais connaissez-vous ses qualités? Nous allons essayer de vous les énumérer en sachant bien qu'en tant que maître de ce chien magnifique, vous en découvrirez bien d'autres à force de vivre avec lui et d'avoir l'occasion de l'observer.

Le Bullmastiff est synonyme de loyauté et vous trouverez rarement un chien dont la fidélité est aussi totale. Il est loyal envers son maître et la famille de celui-ci et il aime son rôle de propriété. Il deviendra un gardien inébranlable et rien ne pourra lui faire manquer à ses devoirs!

Sa remarquable intelligence lui permet d'évaluer des situations et de prendre les décisions adéquates avec une grande rapidité.

C'est donc un des meilleurs chiens de garde que nous puissions vous proposer, mais nous tenons à vous conseiller de bien le dresser afin qu'il comprenne bien ce que l'on attend de lui. Un dressage approprié l'aidera à équilibrer sa fougue naturelle. Il serait bon que vous le fassiez inscrire dans un club de chiens de défense pour atténuer certaines caractéristiques gardées de ses deux ancêtres, le Bulldog et le Mastiff; il ne faudrait pas que vote compagnon soit privé de ce dressage nécessaire.

Le Bullmastiff est naturellement protecteur, ce qui en fait un chien idéal pour les personnes âgées qui se sentiront rassurées par sa présence.

Les enfants, eux, deviendront les grands amis de cet animal qui, malgré sa taille imposante, sera un chien de compagnie très affectueux, calme et surtout fort patient, ce qui n'est pas un défaut, bien au contraire, surtout avec les enfants.

Votre Bullmastiff devra continuellement recevoir des marques d'affection de votre part; il en a besoin pour son équilibre. Il vous rendra cette affection au centuple car il est ainsi fait qu'il tire son plus grand plaisir du plaisir qu'il vous donne.

Malgré sa taille et son poids, le Bullmastiff n'est pas encombrant, il choisit habituellement un endroit près de la maison d'où il peut surveiller tout ce qui se passe.

Ne croyez surtout pas que votre Bullmastiff soit un chien triste bien que sa physionomie semble le laisser supposer; non, pas du tout, c'est un chien gai même s'il n'extériorise pas sa joie, contrairement au Boxer, par exemple.

## Ses défauts

Ne laissez jamais trop longtemps votre Bullmastiff seul pour la simple raison qu'il s'ennuie s'il n'est pas près de «sa» famille. Et s'il s'ennuie, il passera la plus grande partie de son temps à dormir, ce qui n'est certainement pas ce qu'il y a de meilleur ni pour son moral ni pour ses qualités physiques de souplesse et de dynamisme: n'oubliez pas que vous avez devant vous un gardien de première qualité et que c'est là une des principales raisons pour lesquelles vous l'avez acheté.

Vous prendrez soin, dès son plus jeune âge, de lui faire faire connaissance avec le facteur tout en lui expliquant que la venue quotidienne de celui-ci vous fait plaisir; le Bullmastiff comprendra et accueillera le facteur comme un ami.

Si vous devez corriger votre Bullmastiff pour une petite faute, faites-le à l'aide d'un rouleau de papier, ce qui sera très efficace.

Comme nous vous l'expliquerons plus en détail dans un autre chapitre, le Bullmastiff n'accepte que difficilement la compagnie d'autres chiens: il ne le fera que si c'est lui qui domine. Si vous ne respectez pas ce trait de caractère de votre compagnon, il pourrait vouloir démontrer avec force à l'autre chien que c'est lui le patron... après vous, évidemment. Cette démonstration pourrait être assez longue puisque votre Bullmastiff n'arrêtera pas sa «leçon» avant que l'autre ait tout à fait compris. Mais, si ce dernier accepte d'être dominé, votre Bulmastiff sera un compagnon de jeux des plus agréables et pourra même faire semblant d'être «vaincu» par un tout petit chien de rien du tout, comme le Chihuahua, entre autres. M. Gilbert Colas, qui s'occupe du Club français des Bullmastiffs, est des plus catégoriques: une éducation fort poussée est nécessaire pour faire du Bullmastiff le gardien dont vous rêvez; l'obéissance doit lui être apprise le plus tôt possible.

Lorsque votre Bullmastiff atteindra l'âge d'environ un an, il essayera, comme les autres chiens d'ailleurs, de s'imposer à vous, mais ne vous laissez pas impressionner. Soyez ferme afin que votre Bullmastiff ne prenne pas le dessus en devenant le maître de la maison. Cela semble une boutade mais notre avertissement est très sérieux; ce chien possède des gènes qui en ont fait un animal au tempérament audacieux et dominateur; il profitera de la plus petite faiblesse de votre part pour faire avancer ses pions... En étant sévère, mais rigoureusement juste, votre Bulmastiff reprendra la place qui lui revient. Ce ne sera pas toujours facile, mais vous aurez par la suite la joie d'avoir pour compagnon un chien qui vous obéira au doigt et à l'œil.

Si vous devez absolument corriger votre Bullmastiff, faites agir son intelligence et son attachement au maître; employez la parole et le geste plutôt que la force. Prenez une voix sévère, mais sans exagérer, une voix nette et sans trace de tendresse... ou de faiblesse; votre Bullmastiff étant très sensible, vous le blesseriez inutilement et devriez le cajoler longtemps pour lui faire oublier l'offense.

Le dressage du Bullmastiff n'est pas difficile s'il est fait avec logique; faites-vous aider par des professionnels pour lui apprendre à obéir. Il ne faudrait pas qu'il perçoive son éducation comme un jeu; il est important de lui faire comprendre, et cela est facile grâce à sa grande intelligence, qu'il s'agit d'un affaire sérieuse.

Quand vous déciderez de devenir le maître d'un Bullmastiff, vous devrez veiller à plusieurs choses. D'abord remarquez le chiot qui viendra vers vous et, si vous êtes également attiré par lui, sachez qu'il y a de fortes chances pour que ce soit le lien idéal. Consultez quand même le conseiller canin: il pourrait remarquer certains éléments négatifs que vous auriez négligés.

Examinez attentivement les oreilles et les yeux: ils ne doivent pas présenter d'écoulement suspect; les muscles doivent être solides et le pelage, impeccable. Soulevez les poils pour vous assurer que la peau est totalement dépourvue de parasites et de squames. Faites sans faute examiner par un vétérinaire le chiot que vous désirez acquérir afin d'être certain qu'il n'est pas malade. Si le vendeur refuse de vous le donner pour qu'il soit ausculté chez le vétérinaire, n'achetez pas le chiot.

Votre Bullmastiff doit être *parfait*; examinez-le d'après chacun des standards suivants.

Le Bullmastiff est un chien de compagnie très affectueux, calme et loyal.

# Les standards du Bullmastiff

Ces standards ont été élaborés par la **Fédération cynologique internationale** (F.C.I.). Nous y avons ajouté les différences substantielles éventuelles observées dans les standards du **Cercle canadien du chenil** (C.C.C.).

## Aspect général

Le Bullmastiff est un chien puissant dans sa construction, harmonieux dans ses formes, donnant une impression de grande force mais sans lourdeur. Il est solide et actif.

CANADA: Origine et rôle: chien développé en Angleterre par des gardes-chasse pour assurer leur protection contre les braconniers. Le croisement de base qui a mené au Bullmastiff moderne est constitué de 60 p. 100 de Mastiff et de 40 p. 100 de Bulldog. Il s'agit d'un chien de garde et de compagnie devant être loyal, obéissant, donc sujet à être dressé.

La femelle a un aspect féminin, avec une ossature quelque peu plus légère que celle du mâle, mais elle doit toujours refléter la force.

## Caractéristiques

Puissant, endurant, actif et sûr.

## Tempérament

Plein d'ardeur, vigilant et fidèle.

## Tête et crâne

Vu sous n'importe quel angle, le crâne est fort et carré; il est bien ridé quand le chien est attentif mais il ne l'est pas au repos. Le périmètre céphalique peut être égal à la hauteur du garrot. La tête doit être large et haute et présenter des joues bien développées. Le museau est court. Le stop est bien marqué. La distance de la truffe au stop doit représenter à peu près un tiers de la longueur de l'extrémité de la truffe au centre de l'occiput. Le museau est large sous les yeux et presque aussi large jusqu'à son extrémité, tronqué et coupé au carré, en formant un angle droit avec la ligne supérieure de la face et, en même temps, proportionné au crâne. La mâchoire inférieure est large jusqu'à son extrémité. Le nez est large avec des narines largement ouvertes; il est plat et non pas pointu ni retroussé quand il est vu de profil. Les lèvres ne sont pas pendantes et ne doivent pas descendre sous le niveau de la mâchoire inférieure.

# Yeux

Sombres ou couleur noisette, de dimensions moyennes, bien séparés par la largeur du museau, avec un sillon entre eux. Les yeux clairs ou jaunes constituent un défaut grave.

## Oreilles

En forme de V, formant un pli vers l'arrière; attachées haut et bien séparées, au niveau de l'occiput, donnant un aspect carré au crâne, ce qui est très important. Elles sont petites et de couleur plus foncée que le corps; la pointe de l'oreille doit être au niveau des yeux quand le chien est attentif. L'oreille rose est un défaut grave.

## Mâchoires

Mâchoires souhaitées d'égale longueur. Un léger prognathisme inférieur est cependant admis. Les canines sont fortes et bien séparées. Les autres dents sont fortes, régulières et bien placées.

## Cou

Bien galbé, de longueur modérée, très musclé et dont le périmètre égale presque celui du crâne.

## Avant-main

Poitrine large et haute, bien descendue entre les membres antérieurs. La région sternale est bien descendue. Les épaules sont musclées, obliques et puissantes mais pas trop chargées. Les membres antérieurs sont puissants et droits, avec une bonne ossature; ils sont bien séparés et bien d'aplomb, vus de devant. Les canons métacarpiens sont droits et forts.

## Corps

Dos court et droit, donnant un port ramassé. Le dos n'est pas court au point de gêner le chien dans son mouvement. Le dos de carpe et le dos ensellé sont des défauts graves.

## Arrière-main

Le rein est large et musclé, et le flanc bien descendu. Les membres postérieurs sont forts et musclés, avec la jambe bien développée, dénotant la puissance et l'activité, mais sans lourdeur. Les jarrets sont modérément coudés. Les jarrets de vache sont un défaut grave.

## Pieds

Les pieds ne sont pas grands. Ce sont des pieds de chat aux doigts arrondis, bien cambrés. Les coussinets sont durs. Les ongles noirs sont souhaitables. Les pieds écrasés constituent un défaut grave.

## Queue

Attachée haut, forte à la base, allant en s'amenuisant régulièrement vers l'extrémité, atteignant le jarret, portée droite ou incurvée mais pas à la manière des chiens courants. La queue déviée en manivelle est un défaut grave.

## Allures-mouvement

Le mouvement dénote puissance et détermination. Lors que le chien se déplace en ligne droite, ni les membres antérieurs ni les membres postérieurs ne doivent se croiser ou tricoter; au trot, l'antérieur droit et le postérieur gauche se lèvent et se posent en même temps. Une ligne de dos ferme que n'affecte pas la poussée puissante des postérieurs est le signe d'un mouvement équilibré et harmonieux.

## Poil

Le poil est court et dur, protégeant bien contre les intempéries; il est couché à plat sur le corps. Le poil long, soyeux ou laineux est un défaut grave.

## Couleur

Bringé, fauve ou rouge; la couleur doit être pure et nette. Une légère marque blanche sur la poitrine est admise. D'autres marques blanches constituent un défaut. Le masque noir sur le museau est indispensable; il s'estompe vers les yeux qui sont entourés de marques sombres, contribuant à l'expression. Les ongles foncés sont préférables.

## Poids et taille

Les mâles doivent mesurer de 25 à 27 po au garrot (63 à 69 cm) et peser de 110 à 130 lb (50 à 59 kg). Les femelles doivent mesurer de 24 à 26 po au garrot (61 à 66 cm) et peser de 90 à 110 lb (41 à 50 kg).

# Défauts

Tout écart par rapport à ce qui précède doit être considéré comme un défaut qui sera pénalisé en fonction de sa gravité.

*N.B.*: Les mâles doivent avoir deux testicules d'apparence normale complètement descendus dans le scrotum.

# La classification internationale

La **Fédération cynologique internationale** (14, rue Léopold-II, 6530 Thuin, Belgique), regroupant les sociétés nationales de la plupart des pays européens, a établi une toute nouvelle classification des races de chiens afin de faciliter l'organisation des expositions et des concours.

Cette nouvelle classification répond mieux que la précédente aux besoins de la cynologie moderne puisqu'elle intègre les changements faits au cours des dernières décennies. En effet, certaines races de chien qui étaient tombées dans l'oubli ont reçu à nouveau la faveur du public et les éleveurs en ont profité pour développer la reproduction de ces races afin de contenter une clientèle de plus en plus exigeante.

Cette classification comprend 10 groupes, et notre Bullmastiff appartient au deuxième groupe, celui des chiens de type Pinscher et Schnauzer, molossoïdes et chiens de bouvier suisses. En voici la liste:

1$^{er}$ groupe: chiens de berger et de bouvier (sauf chiens de bouvier suisses)
2$^e$ groupe: chiens de type Pinscher et Schnauzer, molossoïdes et chiens de bouvier suisses
3$^e$ groupe: terriers
4$^e$ groupe: teckels
5$^e$ groupe: chiens de type Spitz et de type primitif
6$^e$ groupe: chiens courants et chiens de recherche de sang
7$^e$ groupe: chiens d'arrêt
8$^e$ groupe: chiens leveurs de gibier, chiens rapporteurs et chiens d'eau
9$^e$ groupe: chiens d'agrément et de compagnie
10$^e$ groupe: lévriers et races apparentés

Le deuxième groupe, celui de notre Bullmastiff, est donc divisé en trois sous-groupes.

A. Type Pinscher-Schnauzer
  1. Pinscher
     Affenpinscher
     Dobermann
     Pinscher autrichien à poil court
     Pinscher:
     *a*) Pinscher moyen
     *b*) Pinscher nain
  2. Schnauzer allemand:
     Schnauzer moyen
     Schnauzer géant
     Schnauzer nain
  3. Smoushond
B. Molossoïdes
  1. Type dogue:
     Broholmer
     Boxer
     Bulldog

Bullmastiff
Dogue allemand
Dogue argentin
Fila Brasileiro
Mastiff
Mâtin napolitain
Rottweiler
Shar Pei
Tosa
2. Type montagne:
Aidi
Cao de Castro Laboreiro
Chien de montagne portugais de la Serra de
Estrela
Chien de montagne des Pyrénées
Dogue du Tibet
Hovawart
Berger du Caucase
Landseer
Léonberg
Mâtin des Pyrénées
Terre-Neuve
Chien de combat majorquin
Rafeiro de Alentejo
Saint-Bernard
Berger d'Asie centrale
C. Chiens de bouvier suisses
1. Bouvier d'Appenzell
2. Bouvier bernois
3. Bouvier de l'Entlebuch
4. Grand bouvier suisse

Voici la liste des adresses des sociétés nationales
(situées dans les pays où la population ou une partie de
la population parle français) appartenant à la F.C.I., soit

comme organismes fédérés, soit comme organismes associés:

Union royale cynologique Saint-Hubert
25, avenue de l'Armée
B-1040 Bruxelles
Belgique

Société centrale pour l'amélioration des races de chiens en France
215, rue Saint-Denis
F-75093 Paris Cedex 02
France

Union cynologique Saint-Hubert du Grand-duché de Luxembourg
c/o M. Fernand Jacquemart, secrétaire général
1, rue de la Libération
L-6315 Beaufort
Grand-Duché de Luxembourg

Société canine de Monaco
Avenue d'Ostende
Palais des Congrès
MC-98000 Monte Carlo
Monaco

Société cynologique suisse
Case postale 2307
CH-3001 Berne 1 Facher
Suisse

Société centrale canine marocaine
Boîte postale 6316
Rabat
Maroc

Société canine de Madagascar
Boîte postale 56
Ivato 105
Madagascar

Le système de classification canadien présenté par
le **Cercle canadien du chenil** (2150, rue Bloor Ouest,
Toronto, Ontario M6S 4V7, Canada) comprend sept
groupes:

1$^{er}$ groupe: Chiens d'arrêt
2$^e$ groupe: Chiens courants
3$^e$ groupe: Chiens de travail
4$^e$ groupe: Terriers
5$^e$ groupe: Chiens de luxe
6$^e$ groupe: Divers sauf chiens d'arrêt
7$^e$ groupe: Chiens de berger

Notre Bullmastiff, dont le nom donné par le C.C.C. est
Bull-Mastiff, appartient au troisième groupe, celui des
chiens de travail:

Akita
Bouvier bernois
Boxer
Bull-Mastiff
Chien de montagne des Pyrénées
Chiens d'ours de Carélie
Chien esquimau canadien
Doberman-Pinscher
Grand Danois (Dogue allemand)
Husky sibérien
Komondor (Bouvier hongrois)
Kuvasz
Malemute d'Alaska
Mastiff
Rottweiler (Bouvier allemand)

Saint-Bernard
Samoyède
Schnauzer géant
Schnauzer moyen
Terre-Neuve

# Les tests

Il est très important de faire remarquer que les tests suivants ne révèlent que des tendances; les expériences et l'environnement futurs peuvent jouer un très grand rôle, par la suite, dans le comportement du chien.

Quant à l'âge recommandé pour soumettre le jeune chien aux tests de caractère, il est préférable, dit-on, de les administrer à l'âge de cinq semaines. À partir du vingt et unième jour, les interactions peuvent influencer le chiot.

Quoi qu'il en soit, faites passer les tests à votre chien, ou à celui que vous voudriez acquérir, même s'il a atteint un âge plus avancé.

Vous vous isolerez avec le chiot dans un endroit calme et dépourvu de toute source de distraction pouvant fausser les résultats; vous pourrez aussi choisir un endroit calme encore inconnu du chiot.

Les tests de William Campbell sont certainement parmi les meilleurs; ils comprennent cinq exercices:
1. Test de confiance
2. Test d'accompagnement

3. Test de contrainte
4. Test de domination sociale
5. Test de la position élevée

Voici quelques instructions générales à suivre tout au long du test: agissez calmement, sans parler et avec douceur; ne faites au chiot ni reproches ni compliments; ne relevez aucune de ses bêtises.

Vous cocherez les lettres du tableau de Campbell correspondant aux réactions du sujet.

# 1. Test de confiance

Posez le sujet par terre et éloignez-vous d'environ 3 m (10 pi). Accroupissez-vous et tapez doucement dans vos mains. Cela vous révélera immédiatement le degré de confiance du chien. Notez le résultat et passez tout de suite, sans attendre, au test suivant.

# 2. Test d'accompagnement

Placez le sujet par terre, très près de vous, puis éloignez-vous en marchant normalement. S'il ne vous suit pas, vous aurez la preuve de son indépendance. Soyez certain que le chiot vous a bien vu marcher avant de noter un résultat.

# 3. Test de contrainte
(durée: 30 secondes)

Accroupissez-vous et faites rouler le chiot en douceur sur le dos pendant 30 secondes en le maintenant d'une main sur la poitrine. La façon dont il réagira indiquera son degré de résistance ou de soumission à la contrainte physique.

Si le chien pleure ou aboie, il peut s'agir d'une tendance naturelle qui sera difficile à corriger par la suite. Il pourrait répondre, en grandissant, par des «vocalises»; attention au mécontentement de vos voisins, si vous demeurez dans un appartement...

## 4. Test de domination sociale

Accroupissez-vous et caressez calmement et doucement le chiot sur le sommet de la tête, le cou et le dos. Sa réaction indiquera jusqu'à quel point il accepte votre domination. Le chiot très dominateur essaiera de résister à la personne qui fait le test en se sauvant, en grognant et en mordant. Le chiot indépendant marchera dignement tout en s'éloignant.

Dans tous les cas, il faut continuer à le caresser jusqu'au moment où son comportement vous paraît clair. Notez alors le résultat.

## 5. Test de la position élevée
(durée 30 secondes)

Soulevez le sujet de terre de telle sorte que ses membres ne touchent pas le sol sans pour cela l'en éloigner. Le chien doit à peine être soutenu. Vous devez maintenir vos mains entrelacées autour de son ventre et le tenir ainsi pendant 30 secondes. Vous placez alors le chiot dans une position dont vous avez le contrôle total. Sa réaction à cette position forcée indiquera son degré de soumission.

Déposez lentement et doucement le chiot et notez le résultat.

Vous devez cocher les lettres du tableau apparaissant ci-après et analyser les résultats. Retenez la tendance générale, ne vous arrêtez pas à un détail. Ces tests vous donneront une idée générale de la personnalité du chien.

Vous cocherez la lettre qui vous semble la plus appropriée à la réaction du sujet:

# Tableau de Campbell

NOTES ACCORDÉES: A, B, C, D ou E.

## *Test d'attraction sociale*

| | |
|---|---|
| Vient promptement, queue haute, en sautillant et en mordillant les mains | A |
| Vient promptement, queue haute et en «piaffant», vers les mains | B |
| Vient promptement, mais queue basse | C |
| Vient en hésitant, queue basse | D |
| Ne vient pas | E |

## *Test d'accompagnement*

| | |
|---|---|
| Suit promptement, queue haute, et en essayant de mordiller les pieds | A |
| Suit promptement, queue haute, sous les pieds | B |
| Suit promptement, queue basse | C |
| Suit en hésitant, queue basse | D |
| Ne suit pas ou à distance | E |

## *Test de contrainte*

| | |
|---|---|
| Lutte vigoureusement, se débat et mord | A |
| Lutte vigoureusement et se débat | B |
| Lutte un moment puis abandonne | C |
| Aucune lutte, lèche les mains | D |

## *Test de domination sociale*

| | |
|---|---|
| Bondit, «piaffe» ou griffe, mord, gronde | A |

| Bondit, «piaffe» | B |
| Se tortille, lèche les mains | C |
| Se roule, lèche les mains | D |
| S'éloigne et ne bronche plus | E |

## Test de la position élevée

| Se débat férocement, mord, gronde, pleure | A |
| Se débat beaucoup, pleure | B |
| Se débat, se calme, lèche | C |
| Aucune lutte, lèche | D |

INSCRIRE LE TOTAL DES A, B, C, D, E.

Voici ce que révèlent les résultats (pour les chiots, évidemment):

1. *Deux A ou plus avec un B ou plus:*

   Chiot dominateur et agressif (peut mordre s'il est manipulé). À traiter avec douceur, sans jamais le frapper, ce qui augmenterait l'agressivité. Un environnement calme sans enfants ni personnes âgées est conseillé.

2. *Trois B ou plus:*

   Chiot dominateur ou à tendances dominatrices. Il deviendra impossible à contrôler s'il est toujours caressé sans raison. Par contre, grâce à une éducation douce et ferme, il apprendra rapidement les rudiments du dressage.

   Ce chiot conviendra mieux à un foyer sans enfants, mais il deviendra sociable si vous le mettez souvent en compagnie d'enfants.

3. *Trois C ou plus:*

   Chiot pouvant s'intégrer dans tous les foyers de quelque genre qu'ils soient. Il n'est ni trop soumis ni trop agressif. Il est fortement conseillé aux personnes âgées et aux familles avec de nombreux enfants. Bref, un chien sans problèmes majeurs.

4. *Deux D ou plus avec un ou plusieurs E:*

Chiot sensible et doux, fortement soumis et demandant beaucoup de tendresse et de manipulations délicates pour surmonter son manque de confiance en lui-même. Il peut fort bien faire un pipi de soumission avec un maître trop exigeant. Il vous faudra beaucoup de temps et de patience pour lui donner confiance. Il peut parfaitement s'adapter aux jeunes enfants, mais la possibilité reste qu'il morde ou mordille sous l'effet de la peur, de la menace ou de la contrainte physique.

5. *Deux E ou plus (dont un dans la section de domination sociale):*

Ce chiot qui ne vient pas vite à vous et demeure très solitaire. Il n'en fait qu'à sa tête. Avec des B ou des D, il peut attaquer et mordre sous l'influence d'un stress après ou pendant une punition physique.

Avec des C ou des D, il peut devenir très farouche par rapport à son environnement et à son maître. Il s'agira de l'éviter si votre famille compte des enfants.

6. *Résultat mixte:*

Un résultat mixte nécessite que l'on recommence le test dans un autre endroit. Si le résultat reste le même, le chiot pourrait être un animal ambivalent selon les situations ou l'environnement. Pour rendre possible l'épanouissement de son tempérament, il vous faudra beaucoup de temps et de patience.

Un vétérinaire français, le D$^r$ Bernard Hamel, nous propose deux tests intéressants. Le premier est appelé le «test du parapluie». Il consiste à ouvrir rapidement un parapluie à 1,50 m (4 1/2 pi) du chiot. Comment orienter et interpréter ce test? Le D$^r$ Hamel nous prévient que cette épreuve n'est pas destinée uniquement à déterminer si le sujet est peureux et qu'il est normal que le chien fasse un mouvement de recul marqué; une absence totale de réaction signifierait un état d'apathie certain. Le fait le plus important à noter est le comportement second du chien. Sa curiosité étant en éveil à cause de la nature du test, le chien doit chercher à comprendre et à s'approcher du parapluie pour l'examiner, avec prudence et circonspection. Vous pourrez éventuellement l'encourager. Ce comportement sera une preuve évidente de son intelligence.

Le D$^r$ Hamel nous propose un autre test d'intelligence: le «test du bruit caché» qui consiste à racler avec la main des cailloux dans le fond d'un seau métallique hors de la vue du chien. Le chien doit «aller voir» et non pas s'enfuir ni rester indifférent. Voilà deux tests d'intelligence qu'il serait bon d'essayer.

# La bonne réponse

Protecteur naturel, le Bullmastiff, s'il est bien dressé, devient un gardien inébranlable.

# Sa nourriture

Votre Bullmastiff, comme d'ailleurs tous les chiens, mange de tout. Vous pouvez facilement le comparer à l'homme: il pourra se nourrir d'aliments en conserve ou de nourriture sèche tout comme il pourra observer un régime alimentaire varié que vous lui préparerez avec soin et amour. N'oubliez pas de le faire jeûner de temps en temps, il n'en retirera que des bienfaits.

La nourriture proposée actuellement par les grandes marques d'aliments pour chiens est parfaitement équilibrée, qu'elle soit sèche ou humide. Vous pouvez évidemment préparer vous-même ses repas, non que vous pensiez que les aliments proposés par l'industrie ne sont pas suffisamment équilibrés mais parce qu'il vous plaît de le faire et que vous en avez le temps. Quelle que soit votre décision, ne changez pas brusquement son alimentation; faites-le progressivement.

Si à l'origine le chien était carnivore, sa domestication l'a rendu omnivore, c'est-à-dire qu'il peut maintenant manger de tout: aussi bien de la viande que n'importe quel autre aliment. Il vous faudra veiller à ce que son régime alimentaire soit bien équilibré, en fonction de son âge, de son état de santé, de sa condition (gestation, lactation, etc.), de ses activités et de son environnement climatique.

L'on ne peut affirmer que le Bullmastiff a tendance à l'obésité, mais surveillez néanmoins son poids sans le laisser mourir de faim, bien sûr. Sa nourriture devra être riche en calcium et en vitamines B. Demandez conseil à votre vétérinaire.

Il est actuellement conseillé de ne pas lui offrir de viande crue mais de toujours la faire bouillir afin d'éviter les infections.

Vous devez noter également que la nourriture sèche a l'avantage d'entretenir les dents de votre Bullmastiff. C'est en croquant qu'il se les nettoie et empêche le tartre de se former et d'entretenir ainsi un foyer d'infection.

Sachez que certaines grandes marques ont composé des aliments qui, à eux seuls, peuvent guérir certaines maladies de votre compagnon, notamment rénales et hépatiques.

Maintenant, si vous tenez à préparer la nourriture de votre chien suivant l'ancienne mode, considérez ceci:

Selon l'école moderne, *dès le vingt-deuxième jour*, vous pouvez commencer à lui donner de la nourriture sèche que vous amollirez en y ajoutant de l'eau, dans une assiette afin de l'entraîner à laper, et continuer ainsi tout au long de son développement en ajoutant de moins en moins d'eau.

Selon une école plus ancienne, *jusqu'au vingt-deuxième jour environ*, les chiots sont nourris exclusivement par leur mère. Ensuite, vous leur donnerez un peu de lait en supplément.

# À six semaines

Vous commencerez à donner au chiot des bouillies à base de pain ou de viande hachée et, selon l'avis de votre vétérinaire, des vitamines. Néanmoins, la principale source d'alimentation, à cet âge, demeure l'allaitement maternel qu'il ne faudra pas interrompre. Sachez qu'une chienne de grande taille produit de 60 à 100 l (de 63 à 105 ptes) de lait en six semaines.

# Le sevrage

Il commence à deux mois. Le chiot devra s'habituer progressivement à une nourriture plus solide; donnez-lui:

1. Le matin, une petite tasse de lait, 5 ml (1 c. à thé) d'huile de foie de morue phosphorée (après avoir demandé l'avis de votre vétérinaire).
2. Vers le milieu de la journée, 60 g (1/4 de tasse) de viande hachée, de préférence du bœuf maigre (préparez de petites boulettes que vous donnerez au chiot l'une après l'autre).
3. Dans l'après-midi, une petite tasse de lait mélangée à 5 ml (1 c. à thé) de lactose.
4. Au souper, 60 g (1/4 de tasse) de viande hachée, un biscuit pour chien et un peu de verdure remplacée à l'occasion par du riz.
5. Avant son coucher, 225 ml (1 tasse) de lait tiède, s'il en montre l'envie.

# À trois mois

1. Le matin, du pain grillé, des biscuits en plus grande quantité et 225 ml (1 tasse) de lait enrichi de lactose.

2. Vers le milieu de la journée, 80 g (1/3 de tasse) de bœuf haché et 10 ml (2 c. à thé) d'huile de foie de morue (sur avis de votre vétérinaire).
3. Dans l'après-midi, 80 g (1/3 de tasse) de bœuf haché, du pain grillé ou des biscuits ainsi que 30 g (2 c. à table) de riz bouilli ou de légumes cuits.

## À quatre mois

1. Le matin, 225 ml (1 tasse) de lait enrichi de lactose, plusieurs tranches de pain grillé ou des biscuits et 5 ml (1 c. à thé) d'huile de foie de morue (sur avis de votre vétérinaire).
2. Vers le milieu de la journée, 80 g (1/3 de tasse) de bœuf haché ainsi que quelques cuillerées à soupe (c. à table) de riz ou de légumes cuits et trois tranches de pain grillé.
3. Dans l'après-midi, 80 g (1/3 de tasse) de bœuf haché.
4. Au souper, 225 ml (1 tasse) de lait enrichi de lactose et 15 ml (1 c. à table) d'huile de foie de morue (sur avis de votre vétérinaire).

## À cinq mois

1. Le matin, 225 ml (1 tasse) de lait enrichi de lactose, plusieurs tranches de pain grillé ou des biscuits pour chien et 5 ml (1 c. à thé) d'huile de foie de morue (sur avis de votre vétérinaire).
2. Vers midi, environ 80 g (1/3 de tasse) de bœuf haché.
3. L'après-midi, environ 160 g (2/3 tasse) de bœuf haché, du pain grillé ou des biscuits pour chien et une petite louche de légumes cuits ou de riz.

4. Au souper, une grande tasse de lait enrichi de lactose et 15 ml (1 c. à table) d'huile de foie de morue (sur avis de votre vétérinaire).

# À six mois

1. Le matin, 0,5 l (2 1/2 tasses) de lait, trois ou quatre tranches de pain grillé ou des biscuits pour chien et, si vous arrivez à le convaincre, un jaune d'œuf cuit.
2. Vers le milieu de la journée, 250 g (1 tasse) de bœuf haché ainsi qu'un peu de foie.
3. Au souper, 250 g (1 tasse) de bœuf haché (que vous pouvez mélanger à de la viande de cheval), une louche de légumes verts cuits ou de riz, de blé, d'avoine, d'orge cuit, et 15 ml (1 c. à table) d'huile de foie de morue (sur avis de votre vétérinaire).

# De sept à onze mois

Donnez-lui une alimentation semblable à celle du Bullmasiff adulte mais moins copieuse, en tenant compte de sa musculature et de son ossature. Veillez à ne pas le suralimenter et ne continuez à lui donner de l'huile de foie de morue que sur avis de votre vétérinaire.

Donnez-lui les quantités suivantes:

1. Le matin, 0,5 l (2 1/2 tasses) de lait entier, du pain grillé, un œuf cru et 5 ml (1 c. à thé) d'huile de foie de morue (sur avis de votre vétérinaire).
2. Au repas du midi, 250 g (1 tasse) de bœuf haché, un peu de foie et quelques cartilages pour favoriser sa mastication.
3. Au souper, 250 g (1 tasse) de viande hachée et deux louches de légumes cuits ou de riz. Remar-

quez les légumes que votre Bullmastiff préfère et digère le mieux; même si cela vous occasionne plus de travail, faites votre choix selon ses goûts. Ne lui donnez pas de petits pois, de lentilles ni d'autres féculents.

## De onze à douze mois

Donnez-lui seulement deux repas par jour. Selon ses activités et les conditions climatiques, vous pourrez même ne lui donner qu'un repas par jour. Pour un régime de deux repas, préparez-lui:

1. Le matin, 0,5 l (2 1/2 tasses) de lait, un ou deux jaunes d'œufs, deux biscuits pour chien et 5 ml (1 c. à thé) d'huile de foie de morue, s'il y a lieu.
2. Au souper, 500 g (un peu plus de 1 lb) de viande coupée en morceaux mélangée à environ trois louches de riz, de légumes, d'un peu de céréales et de pommes de terre ou de pâtes, ainsi que quelques tranches de pain.

À l'âge d'un an, votre Bullmastiff sera devenu un chien adulte. Comme vous l'aurez suivi au cours des différents stades de son «adolescence», et cela pendant un an, vous aurez appris à connaître ses goûts et ses habitudes.

Ne vous inquiétez pas trop quand votre Bullmastiff refuse sa nourriture: il y a peut-être un élément de sa pâtée qui ne lui plaît pas; si, malgré vos efforts, vous ne parvenez pas à le convaincre de manger ce que vous lui proposez, acceptez son choix et prenez ses goûts en considération. Il se pourrait également que les goûts de votre compagnon changent; là encore, il vous faudra vous incliner et découvrir, en tâtonnant, ses nouvelles préférences alimentaires.

Si vous avez décidé de faire de votre Bullmastiff un chien de garde et de protection à temps plein, il aura besoin d'une nourriture plus abondante, 260 g (environ 1 tasse) de riz, de pâtes ou de céréales; 200 g (3/4 tasse) de légumes cuits tels que carottes, haricots verts ou courgettes; 175 g (3/4 de tasse) d'aliments préparés pour chien; 5 ml (1 c. à thé) d'huile de foie de morue et des vitamines, s'il y a lieu.

Vous devez savoir que certains chiens, à partir de l'âge de quatre à cinq mois, ont de la difficulté à digérer le lait. Si vous voyez que votre chien fait de la diarrhée, supprimez le lait de son alimentation, mais demandez à votre vétérinaire ce que vous pouvez lui donner en remplacement.

Vous devez savoir également que, pendant longtemps, les éleveurs de chiens ont préféré la viande crue à la viande cuite.

## La valeur nutritive des aliments

Les valeurs nutritives des aliments que vous donnez à votre compagnon se divisent en quatre groupes principaux:

- Les *protéines*, contenues dans la viande, constituent l'élément majeur de l'alimentation du chien.
- Les *hydrates de carbone,* contenus dans le pain, les pâtes et les céréales, fournissent l'énergie nécessaire au travail et à l'activité physique.
- Les *matières grasses* fournissent l'énergie et la chaleur nécessaire pour combattre le froid. Leur quantité doit varier selon les saisons et le climat: on peut donner au chien de la viande grasse en hiver, et de la viande maigre en été.
- Les *minéraux* contenus dans les légumes, dans les os broyés et dans certains aliments spéciale-

ment préparés à cet effet, aident à la formation
des os.

Il vous faut également savoir ceci:
- La *vitamine A* que l'on trouve, entre autres, sous
  forme d'huile de foie de morue est essentielle à la
  croissance.
- La *vitamine D* évite le rachitisme, mais il ne faudrait pas en abuser car elle pourrait provoquer la
  calcification des poumons et des reins.
- La *vitamine C* ne devra être administrée que si le
  régime alimentaire est mal équilibré. Absorbée
  par un Bullmastiff ayant un régime normalement
  équilibré, elle pourrait provoquer des troubles
  hépatiques.
- La *vitamine B complexe* pourra être conseillée
  par le vétérinaire.
- La *vitamine K*, indispensable à la coagulation
  normale du sang, pourrait cependant causer des
  troubles hépatiques ou rénaux.

Consultez toujours votre vétérinaire avant d'administrer des vitamines à votre chien. Un excès de vitamines pourrait provoquer un affaiblissement de l'animal
ou la détérioration de son palais.

Certains aliments sont néfastes pour le Bullmastiff:
- le poumon qui gonfle l'estomac et qui est difficile
  à digérer;
- les matières grasses données mal à propos, surtout si votre animal a tendance à l'obésité;
- la viande de porc, en général;
- les petits os pointus de poulet ou de lapin;
- les lentilles, les pois cassés et les haricots qui
  sont trop riches en fécule et qui sont dificiles à
  digérer;

- le chou;
- les condiments comme le poivre, la moutarde, etc.

Ne laissez pas les enfants gâter votre Bullmastiff en lui offrant toutes sortes de sucreries: il deviendrait rapidement obèse. Un morceau de sucre devrait être une récompense très rare.

Vous veillerez avec attention à ce que votre chien ait toujours à sa disposition de l'eau pour se désaltérer quand il le désire.

Un bon conseil: servez-lui ses repas tièdes; il les engloutit immédiatement. Votre chien n'aime pas manger trop chaud, ce qui ne veut pas dire qu'il aime les aliments froids ou glacés.

La propreté est essentielle: n'oubliez pas de laver tous les jours la gamelle du chien; il vaut mieux jeter la pâtée que votre Bullmastiff n'aura pas mangée.

Enfin, si vous tenez spécialement à la beauté de votre compagnon et à ce que son poil devienne très luisant, donnez-lui tous les jours du yogourt, ou du fromage cottage, ou du foie de bœuf ou du bœuf haché mélangé à de la nourriture sèche: vous verrez son poil devenir de plus en plus beau, ses muscles s'assouplir et son apparence se transformer. Il ne s'agit pas là de santé mais de beauté. Donnez-lui également deux fois par semaine de l'huile de maïs et, toujours pour embellir sa robe, chaque matin 5 ml (1 c. à thé) de margarine de soja.

Votre Bullmastiff a besoin d'une promenade quotidienne pour se tenir en forme.

# Son hygiène

Le Bullmastiff, comme les autres chiens, a besoin d'être bien entretenu par son maître, c'est-à-dire par vous qui êtes, ne l'oubliez pas, responsable de son bien-être quotidien. Il vous en sera d'ailleurs très reconnaissant et vous le montrera par son entrain et par la fierté de son allure. En le gardant propre, vous embellissez sa robe et vous contribuez aussi à améliorer sa santé. Un Bullmastiff bien propre est plus sain et vivra plus longtemps; son intelligence sera plus vive que celle d'un chien qu'on laisse se débrouiller tout seul. Bien que votre Bullmastiff soit très résistant et n'ait pas d'odeurs particulières — sauf peut-être par temps humide —, vous devrez néanmoins accorder une attention spéciale à sa propreté puisque vous lui permettrez de vivre à l'intérieur de votre maison.

Voyons maintenant, d'une manière détaillée, les soins à donner à votre Bullmastiff.

## Le brossage

Si vous voulez être fier de la beauté de votre Bullmastiff, vous devez faire en sorte que ses poils soient toujours bien brossés. Un bon entretien régulier permettra d'éliminer le poil mort et les différents parasites qui pourraient s'introduire dans le pelage de votre chien.

Vous devez commencer le brossage en humectant la fourrure à l'aide d'un vaporisateur d'eau. Ensuite brossez-la à rebrousse-poil pour bien l'aérer, puis humectez de nouveau. Quant tout le poil est humecté et que l'humidité l'a traversé grâce au massage de vos doigts, prenez une brosse légèrement dure et commencez la toilette. Brossez toujours dans le sens du poil en commençant par le garrot et en continuant vers l'arrière-train jusqu'à la queue. Terminez par les pattes. Tout en dépoussiérant votre Bullmastiff, vous enlèverez les poils superflus et lui éviterez de les avaler.

Le brossage donnera un beau lustre au pelage de votre compagnon: votre Bullmastiff aura fière allure. Il appréciera tout particulièrement le brossage énergique, ce qui activera sa circulation sanguine cutanée.

## Le bain

Vous devez habituer progressivement votre chien au bain. N'agissez pas brutalement en le jetant dans l'eau. Si vous voulez qu'il apprécie son bain, vous devez être très patient jusqu'à ce que cela lui devienne naturel et routinier.

Un chiot doit être baigné une fois par semaine; par contre, à l'âge adulte, votre Bullmastiff ne doit être baigné que tous les trois mois au maximum, s'il vit en appartement,  et un peu plus souvent s'il vit à la campagne, selon ses activités. Le bain ne lui est guère recommandé. Si le chien est vraiment sale, enlevez la saleté superficiellement; sinon vous enlèveriez le gras naturel recouvrant son poil et le protégeant du soleil et du froid. Demandez conseil à votre vétérinaire; il saura vous dire ce qu'il y a lieu de faire en ce qui concerne cet aspect de son hygiène.

En été, lorsqu'il fait beau, vous pouvez baigner votre chien en plein air et le laisser s'ébrouer et sécher au soleil. Veillez à ce qu'il soit à l'abri des courants d'air. En hiver, utilisez un endroit bien fermé et essuyez-le soigneusement pour lui éviter les rhumatismes.

Remplissez la baignoire d'eau tiède à environ 40 °C (104 °F). Toute la partie inférieure du corps de votre Bullmastiff doit être dans l'eau. Pour éliminer les parasites du pelage, employez un shampooing antiparasitaire. N'oubliez pas de placer un tapis antidérapant dans la baignoire afin qu'il ne glisse pas.

Commencez par lui savonner la tête, et continuez dans le sens du poil jusqu'à la queue et aux pattes. Faites-le très soigneusement. Rincez une première fois en évitant de lui mouiller le museau et en protégeant ses oreilles de l'eau. Soyez doux et patient. Même lorsqu'il veut vous montrer à quel point c'est agréable! Profitez du bain pour vérifier la propreté de ses oreilles et pour les nettoyer à l'aide de coton enroulé sur un bâtonnet. Surveillez bien vos gestes car les oreilles d'un chien sont très sensibles; il pourrait avoir des mouvements brusques en y sentant un corps étranger.

Quand vous aurez terminé, sortez votre Bullmastiff de la baignoire et éloignez-vous rapidement afin d'éviter de vous faire arroser lorsqu'il se secouera. Frottez-le ensuite énergiquement avec des serviettes.

Lorsque l'hiver approche, et plus particulièrement pendant les périodes de grand froid, nous vous conseillons d'employer des shampooings secs; il vaut mieux ne pas mouiller votre chien. Ces produits font disparaître les parasites, assouplissent et font briller la fourrure.

Si votre Bullmastiff vous revient d'une «expédition»

couvert de boue, vous avez le choix entre le frotter avec des linges humides puis l'essuyer, ou bien laisser sécher la boue et le brosser ensuite. Si son poil est taché de graisse, de peinture ou de goudron, frottez-le avec un chiffon imbibé d'essence, de térébenthine ou d'éther. Rincez bien soigneusement ensuite.

## Les ongles

L'entretien des ongles de votre compagnon est très important. Le meilleur moyen d'empêcher qu'ils ne deviennent trop longs est encore de faire marcher votre chien; forcez-le à le faire, même s'il a tendance à être parfois paresseux. L'exercice les maintiendra à la bonne longueur.

Mais si le chien sort peu, à la suite d'une maladie par exemple, comme la pousse des griffes est constante, celles-ci le gêneront dans ses déplacements. Baignez alors ses griffes dans de l'eau tiède, jusqu'à ce que les ongles soient ramollis; coupez-les ensuite et veillez, en regardant à contre-jour, à n'enlever que la partie morte; vous éviterez ainsi de blesser votre Bullmastiff. Utilisez un instrument spécial et non ceux qui sont réservés à l'usage humain. Vous pouvez également choisir de les lui limer, mais procédez alors avec beaucoup de douceur. Limitez-vous à lui couper les ongles toutes les deux semaines.

## Les oreilles

Soignez tout particulièrement les oreilles de votre Bullmastiff. Elles doivent toujours être d'une propreté exemplaire. Deux fois par mois, vous préparerez une solution composée de 50 p. 100 d'eau et de 50 p. 100 de peroxyde et vous lui masserez les oreilles avec cette solution. Vous les sécherez ensuite avec des boules de coton.

# Les dents

Au moment d'acheter votre Bullmastiff, assurez-vous qu'il a bien toutes ses dents. La meilleure façon de les garder saines consiste à lui donner des os à ronger et de lui faire manger du pain bien sec et des biscuits très durs. Ne lui donnez pas la possibilité de croquer des morceaux de bois dur ou des pierres, cela risquerait d'abîmer irrémédiablement l'émail de ses dents. Si votre chien est de bonne nature, vous pouvez lui administrer un brossage normal des dents avec un dentifrice pour chien. Vous pouvez aussi essayer de lui frotter les dents avec un chiffon humide trempé dans du bicarbonate de soude ou dans du jus de citron.

Faites attention aux friandises trop sucrées: elles contribuent au développement des caries. Examinez régulièrement les dents de votre Bullmastiff, il pourrait s'y accumuler du tartre, ce dépôt calcaire qui recouvre progressivement les molaires et les canines, donne une mauvaise haleine et favorise le déchaussement des dents et les infections des gencives. Quoi qu'il en soit, vous devriez consulter, au moins une fois l'an, votre vétérinaire qui vous guidera judicieusement.

# Les yeux

Il est possible que les yeux de votre Bullmastiff soient rouges et larmoyants. Cela peut arriver après un plus ou moins long séjour en plein vent ou si un corps étranger s'est glissé sous ses paupières; à titre de prévention, ne laissez pas votre compagnon passer la tête par la fenêtre lorsque vous l'emmenez en voiture. Lavez-lui les yeux avec une solution d'acide borique que vous trouverez dans toutes les pharmacies. Imprégnez-en un tampon de coton hydrophile et passez-le-lui sur les yeux.

Profitez-en pour lui laver les plis de la peau avec un coton imbibé d'eau tiède.

En cas de conjonctivite, adressez-vous à votre vétérinaire qui vous prescrira les remèdes nécessaires.

# Les parasites

Bien que votre Bullmastiff ne soit pas particulièrement sujet aux parasites, il vous faudra vérifier méticuleusement, lors de la séance de brossage, si votre animal n'en est pas infesté.

Les *puces* ne sont pas vraiment dangereuses et vous pouvez les éliminer en ayant recours à des poudres antiparasitaires. Les puces canines n'aiment pas l'homme et ne quittent le poil d'un chien que pour celui d'un autre chien.

Les *poux*, lorsqu'ils ont infesté le poil de votre Bullmastiff, causent bien des tracas. Il est difficile de les éliminer complètement. Ils se reproduisent très rapidement, et leur présence peut devenir dangereuse pour votre compagnon. Il y a de fortes chances pour que votre Bullmastiff ait des poux s'il se gratte sans arrêt les oreilles. Donnez-lui des bains avec des produits antiparasitaires; si vous n'arrivez pas à l'en débarrasser rapidement, consultez sans tarder votre vétérinaire. Si vous n'agissez pas au plus vite, votre Bullmastiff pourrait être atteint d'anémie, ce qui l'affaiblirait considérablement.

Les *tiques* sont des parasites qui sévissent surtout pendant l'été dans nos régions. Ce sont les chiens vivant en contact avec des bestiaux qui en sont les plus menacés. Elles peuvent provoquer des infections de la peau lorsqu'on essaie de les arracher sans prendre de précautions. La tête des tiques reste incrustée dans la peau quand vous en arrachez le corps, et provoque ainsi de l'infection. Il vaut donc mieux faire prendre à votre Bullmastiff des bains avec des produits antiparasitaires ou de l'essence ou de l'alcool. Une fois que les tiques sont mortes, laissez-les tomber d'elles-mêmes sans essayer de les arracher.

On les retrouve sur la base des oreilles, sur le cou, dans les interstices des doigts et sous les aisselles du chien. Dès que vous remarquerez que votre Bullmastiff en est infesté, occupez-vous-en.

Il existe aujourd'hui toute une gamme de colliers antiparasitaires qui assureront à votre chien une assez bonne protection. C'est une façon efficace et discrète de le protéger d'une manière permanente. Mais il vaudra toujours mieux ne pas laisser votre Bullmastiff, que vous soignez avec tant d'attention, se mêler aux chiens errants de votre voisinage.

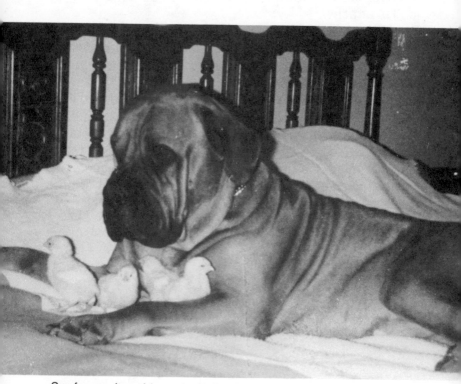
Sauf avec les chiens, le Bullmastiff n'a pas de problème avec les autres animaux.

# Sa santé

Si vous remarquez que votre Bullmastiff est triste, qu'il ne répond pas à vos appels et reste dans son coin, alors qu'il est habituellement gai, actif, vif et expressif, il y a tout lieu de penser qu'il est malade. Prenez sa température rectale avec un thermomètre médical: elle est normalement de 38,2 à 38,7 °C (100,7 à 101,6 °F) chez le Bullmastiff adulte et d'environ 39 °C (102 °F) chez le chiot. Si elle dépasse largement 39 °C (102 °F) ou si elle est nettement en dessous de 38 °C (100,4 °F), vous devez être très vigilant. Si cette température anormale est accompagnée de vomissements ou de diarrhée, n'hésitez pas à consulter votre vétérinaire.

Vous devez également savoir que le pouls normal d'un jeune Bullmastiff est de 110 à 120 pulsations par minute; celui d'un Bullmastiff dans la force de l'âge, de 90 à 100; et celui d'un vieux chien, de 70 à 80.

Un jeune chien au repos a de 18 à 20 pulsations par minute. Un Bullmastiff adulte en a de 16 à 18, et un vieux Bullmastiff, de 14 à 16.

D'autre part, votre Bullmastiff n'est pas à l'abri des

blessures, des fractures ou des brûlures. Il peut également être atteint de différentes maladies parasitaires dont nous parlerons plus loin.

Vous devez savoir que les maladies évoluent à travers le temps. Certaines maladies ont disparu, mais rien ne nous dit qu'elles ne ressurgiront jamais. Il y en a d'autres qui peuvent porter un autre nom en d'autres lieux. Ne vous affolez pas; si vous avez le moindre doute lorsque vous constatez un symptôme, consultez votre vétérinaire qui a les moyens d'intervenir efficacement.

# Les accidents

## Les blessures

Il y a plusieurs types de blessures: les coupures, les contusions, les plaies superficielles ou profondes.

Bien que parfois compliquée d'une hémorragie, la coupure est une blessure habituellement bénigne. Vous devez d'abord stopper l'écoulement du sang en tamponnant la coupure à l'aide de compresses de gaze ou en garrottant le membre juste au-dessus de la blessure. Dans les cas graves, vous devrez ligaturer les vaisseaux. La désinfection et la propreté sont indispensables; avant même de vous occuper de la blessure, rasez les poils tout autour. Si la plaie est longue, vous devrez pratiquer quelques points de suture. En soulevant la peau du chien, vous y arriverez aisément. Si la blessure est superficielle, ne la recouvrez pas de pansements afin de permettre à votre Bullmastiff de pouvoir la lécher: la salive favorisera la guérison en évitant l'infection et accélérera la cicatrisation.

Bien que les blessures provoquées par une pointe ne soient pas longues, elles sont souvent très profondes et peuvent s'infecter: des germes peuvent s'introduire accidentellement sous la peau et résister à toute médication. Si ces cas d'infection sont rares, ils n'en sont pas moins très douloureux; désinfectez ces blessures en profondeur par irrigation.

La *contusion* est une lésion produite par un choc sans qu'il y ait déchirure de la peau du Bullmastiff. Il est alors plus difficile de faire des points de suture, parce qu'il s'agit d'une blessure qui n'est pas aussi nette qu'une coupure. Désinfectez en lavant la plaie avec une solution antiseptique. Comme pour la coupure, rasez les poils autour de la lésion. Bandez de façon à ne pas nuire aux mouvements du chien. Une contusion guérira plus lentement qu'une coupure.

Au cours d'une partie de chasse, votre Bullmastiff qui vous accompagne peut aussi, malheureusement, être touché par une balle perdue ou être pris dans un piège. Gardez la tête froide et évaluez très rapidement la situation. Si votre chien est atteint à la tête, à la poitrine ou au ventre, c'est-à-dire blessé gravement par une balle, et que vous soyez incapable de le transporter en moins d'une heure chez le vétérinaire le plus proche (ou même chez un pharmacien), vous devrez vous résoudre à ne pas le laisser souffrir inutilement. Si la blessure par balle est superficielle ou profonde, sans cependant être dangereuse, prenez un bâton pas trop long mais suffisamment solide et faites-le mordre par le chien. Enveloppez ensuite votre Bullmastiff dans une couverture, un imperméable ou une bâche et amenez-le le plus vite possible chez un vétérinaire.

S'il est pris dans un piège, faites comme dans le cas d'une blessure par balle, faites-lui mordre un bâton et faites le nécessaire pour empêcher votre compagnon de s'enfuir une fois que vous l'aurez libéré du piège.

# La bataille de chiens

Une bataille de chiens peut dégénérer très rapidement. Attrapez une laisse ou même, si vous n'en avez pas une sous la main, prenez votre ceinture et tapez très fort dans le tas. Sachez qu'un bon coup de fouet cinglera les bêtes, mais que c'est bien moins grave qu'une vilaine morsure. N'hésitez pas, soyez énergique et agissez vite: tous les ordres et les cris ne servent absolument à rien dans un cas pareil. Votre Bullmastiff est un chien dominateur et vous aurez à agir vite avant que votre compagnon ne mette en pièces son adversaire.

## L'insolation et le coup de chaleur

Les symptômes de l'insolation et ceux du coup de chaleur sont les mêmes. Si votre Bullmastiff court ou marche longtemps en plein soleil, l'été, il est possible qu'il soit victime d'un coup de chaleur: son système nerveux central sera atteint. Ses poumons et son système cardio-vasculaire peuvent également être touchés. Les symptômes apparaissent brusquement: le chien semble soudainement affaibli, sa démarche devient hésitante, il respire par saccades et tombe. N'attendez pas le vétérinaire pour dispenser les premiers soins: l'insolation peut être mortelle.

La première chose à faire est de porter votre Bullmastiff à l'ombre, sous un arbre par exemple; essayez de trouver un endroit ombragé et frais. Faites baisser sa température en lui appliquant des compresses trempées dans de l'eau très froide sur la tête et sur le reste du corps. Appelez ou faites appeler un vétérinaire; en attendant son arrivée, donnez à votre compagnon un peu de café pour lutter contre la dépression; vous l'aiderez ainsi à surmonter sa crise. Ne laissez jamais votre Bullmastiff dans une automobile hermétiquement fermée en plein soleil. N'oubliez pas que le Bullmastiff, comme les autres chiens, ne supporte par les trop fortes chaleurs.

## L'aggravée

Il s'agit de l'inflammation des soles d'un Bullmastiff qui a marché trop longtemps sur des terrains trop durs ou trop cailouteux. L'aggravée peut aussi toucher le chien qui a marché sur le chaume resté sur place après la moisson. Les soles de votre animal peuvent aussi s'enflammer s'il se promène longtemps, par temps chaud, sur des routes goudronnées. Il se formera, au niveau des coussinets plantaires et des espaces interdigitaux, des plaies très douloureuses qui rendront la marche pénible, sinon impossible.

Cette inflammation est la plupart du temps assez longue à guérir. Laissez votre chien au repos sur un terrain non sablonneux; évitez le gravier, le ciment et l'humidité. Des bains astringents à base d'alun le soulageront. Vous pouvez également pulvériser un liquide antiseptique, qui formera une pellicule isolante, sur les parties touchées par la maladie.

## Les chiens perdus ou épuisés

Le fait de s'égarer et d'être épuisé est plus fréquent chez le tout jeune Bullmastiff, mais il se peut fort bien que cela arrive à un Bullmastiff adulte.

Il se peut que l'on ne retrouve son chien qu'au bout de plusieurs jours de recherche. Le chien épuisé cherchera à se désaltérer et se rapprochera d'une habitation afin d'être nourri; étant un chien de maison, il n'est pas capable de subvenir lui-même à ses besoins, puisqu'il a l'habitude d'être ponctuellement servi par son maître.

À partir du troisième jour de jeûne, environ, un chien citadin peut devenir méchant. La soif et la faim peuvent le rendre fort dangereux; évitez le contact entre votre Bullmastiff et un chien dans cet état. Essayez d'enfermer ce chien perdu et donnez-lui à boire et à manger raisonnablement. Prévenez la police locale et regardez les petites annonces dans la presse afin de vérifier les avis de recherche.

## Les fractures

Il y a quatre genres de fractures: fermées, ouvertes, comminutives et composées.

La *fracture fermée* est la plus fréquente: l'os se casse sans sortir du membre du chien. La réduction de la fracture fermée est la plus facile. Par contre, quand l'os sort du membre, il s'agit d'une *fracture ouverte*. L'os provoque des blessures externes qui entraînent certaines complications. Quand l'os se casse en plusieurs morceaux, il s'agit d'une *fracture comminutive*. Lorsque l'os provoque des déchirures externes, tout en se cassant en plusieurs morceaux, il s'agit d'une *fracture composée*.

Que devez-vous faire en cas de fracture? Nous vous conseillons, comme premiers soins, de désinfecter et de nettoyer les blessures faites par les fractures ouvertes. Enlevez les fragments osseux. Prenez une petite planche pour immobiliser le membre du chien et tenez-le tranquille jusqu'à ce que vous ayez réduit la fracture. Une des principales causes de fracture est la circulation routière qui augmente sans cesse. Vous pourriez éviter, du moins partiellement, ces accidents en ne laissant pas votre Bullmastiff se promener seul, en faisant attention de ne pas l'appeler de façon inconsidérée en l'obligeant à traverser une rue pour venir vous rejoindre, ou encore en le dressant de façon à limiter ce type d'accident.

Une des fractures les plus graves causées par une collision est celle de la colonne vertébrale: elle entraîne la paralysie du train postérieur au mieux, la mort au pire. Dans un cas pareil, il est préférable d'abréger les souffrances de votre compagnon. Il en est de même si les fractures sont accompagnées de la rupture d'un organe interne: dans la plupart des cas, n'ayez pas trop d'espoir quant à la survie de votre chien.

## Les piqûres d'insectes

Les piqûres d'insectes, tels que les abeilles, les frelons et les guêpes, sont moins dangereuses qu'une morsure de vipère. Néanmoins, dans les cas sérieux, vous devez consulter votre vétérinaire. Dès que le chien a été piqué, il faut tamponner la région blessée avec du vinaigre ou du poireau frais. Certains chiens sont allergiques à ces piqûres, et leur vie peut être en danger. Si votre vétérinaire n'est pas à proximité, emmenez votre chien à la clinique la plus proche.

## Les orties

Votre Bullmastiff, en traversant des touffes d'orties, pourrait attraper une certaine forme d'urticaire. Très rapidement, il éprouvera une sensation de brûlure et un prurit violent, surtout sur les parties de son corps où la peau est très fine. Votre chien, par instinct, se léchera souvent et avec force. De cette façon, malheureusement, les poils atteints d'urticaire peuvent pénétrer dans ses muqueuses respiratoires, provoquant à la limite l'asphyxie.

Appliquez des pommades ou des lotions antiprurigineuses et calmantes sur les parties du corps atteintes d'urticaire. Vous pouvez également appliquer des compresses trempées dans de l'eau froide vinaigrée.

## L'électrocution

Si votre chien est bien portant et pas excessivement nerveux, les clôtures électriques ne sont pas vraiment dangereuses. Si, par malheur, votre Bullmastiff touche une installation électrique mal isolée ou mord un fil, il perdra connaissance. Pratiquez-lui la respiration artificielle: couchez-le sur le côté, puis poussez sur les côtes toutes les deux secondes environ.

## Les intoxications

Le Bullmastiff peut être empoisonné par une main criminelle, mais il peut aussi l'être accidentellement s'il absorbe des produits toxiques que l'on a répandus sur le sol pour dératiser ou pour détruire d'autres bêtes nuisibles. Les compositions chimiques de ces produits sont fort différentes les unes des autres; aussi leurs conséquences sur l'organisme sont très variées. Consultez au plus vite votre vétérinaire. Malheureusement, certains produits toxiques, comme la strychnine et la noix vomique, ont un effet foudroyant, et rien ne pourra sauver l'animal.

## Les brûlures

Les brûlures sont moins rares qu'on ne le pense. Faites particulièrement attention durant les pique-niques à la campagne. S'il se brûle, votre Bullmastiff peut devenir fou furieux. À la suite d'un affaiblissement physiologique brusque (collapsus) qui succède à la destruction de l'épiderme, les brûlures sont dangereuses et fort douloureuses, et peuvent même causer la mort de votre Bullmastiff.

Les brûlures se divisent en trois catégories selon

leur gravité. Les *brûlures du premier degré* sont les plus légères: la peau présente un rougissement, et la brûlure évolue vers une inflammation érythémateuse; votre chien éprouve une sensation douloureuse. Les *brûlures du second degré* se caractérisent par la formation de petites ampoules qui, en perçant, libèrent un liquide séreux et donnent naissance à de petites plaies qui se cicatriseront. Les *brûlures du troisième degré* sont les plus graves. Il s'agit, dans ces cas, d'une carbonisation des tissus, suivie de la formation d'une croûte qui disparaîtra avec la cicatrisation.

Commencez par bloquer la mâchoire du Bullmastiff avec un bâton. Les brûlures se soignent par des bains froids avec une solution borique à 3 p. 100 et par des applications de poudre absorbante. Comme premiers soins, appliquez de l'huile d'olive, de la vaseline, de la pommade à la lanoline ou à l'ichtyol, du blanc d'œuf battu, du beurre, de la margarine ou de la graisse animale. Percez les ampoules pour en faire sortir le liquide en appliquant sur la blessure une poudre à base d'antiseptique. N'oubliez jamais de commencer par désinfecter la plaie à l'aide d'une poudre absorbante.

En cas de brûlures provoquées par une substance chimique, vous pouvez en neutraliser l'action en utilisant une substance alcaline, si la brûlure est causée par des acides, ou une préparation acide, si la brûlure est provoquée par des bases.

## Les corps étrangers

Le Bullmastiff, comme d'ailleurs n'importe quel autre chien, peut avaler divers corps étrangers. Ce sont les chiots qui doivent être le plus surveillés. La liste des objets dangereux est longue, et il est impossible de tous les énumérer. Prenons quelques exemples: les aiguilles de couturière peuvent se planter dans la gorge ou dans la langue. Le chien hurlera et bavera; il ne pourra plus manger. Un chiot, ou même un chien adulte, peut avaler par inadvertance un morceau de jouet en caoutchouc, un noyau de pêche, un os de côtelette, un caillou ou un bouchon.

N'essayez pas d'intervenir vous-même, vous pourriez être mordu et faire à votre chien plus de mal que de bien. Emmenez-le chez votre vétérinaire. Vous constaterez d'ailleurs la gravité de son état si vous le voyez vomir «jaune» et si son abdomen semble douloureux. Votre vétérinaire lui fera une palpation et une radiographie. Il fera son diagnostic selon les résultats: il devra peut-être procéder à l'ouverture de l'estomac ou des intestins. Ne laissez donc pas traîner des objets pouvant être avalés et apprenez à vos enfants à ne jouer qu'à des jeux inoffensifs afin d'éviter que votre chien ne se retrouve sur une table d'opération.

## Les épillets

Les épillets, surnommés les folles avoines, peuvent se planter entre les doigts, dans le nez et dans les oreilles et provoquer des abcès et des inflammations. L'oreille y est spécialement sensible puisque les petits épillets se glissent progressivement au fond du conduit auditif où ils demeurent coincés. Le Bullmastiff penchera la tête du côté de l'oreille atteinte en la secouant assez violemment; il deviendra nerveux. Dès que vous remarquerez ces symptômes, soulagez immédiatement le chien en lui enlevant l'épillet à l'aide d'une petite pince. Si, dès les premiers symptômes, l'extraction est facile, vous aurez par contre des difficultés à repérer un épillet enfoncé trop loin. Consultez votre vétérinaire qui, grâce à l'otoscope, en viendra à bout.

Si vous ne vous en occupez pas, il y a de fortes chances pour qu'une otite inflammatoire et une suppuration s'installent et conduisent au catarrhe auriculaire chronique. Comme nous le faisions remarquer, l'épillet se rencontre fréquemment dans les espaces interdigitaux; il peut provoquer un abcès qui devra être largement débridé et débarrassé du corps étranger. Si cela n'est pas fait, l'épillet continuera son chemin tout au long de gaines tendineuses ou musculaires et pourra provoquer, dans une région éloignée de son point d'impact, des abcès successifs.

## Les morsures de reptiles

Les lèvres, la truffe et l'extrémité des membres sont les endroits les plus vulnérables aux morsures de serpent. Votre Bullmastiff se mettra habituellement à vomir et poussera des hurlements de douleur. Vous remarquerez, dans la région mordue, une plaie tuméfiée et violacée qui deviendra douloureuse, s'enflammera et prendra la forme d'une auréole. Cette morsure sera plus dangereuse si la vipère n'a pas mordu depuis sept jours; elle injectera alors au chien tout son venin. Plus l'animal est jeune, plus cette morsure risque d'être mortelle.

Il fauda intervenir très rapidement en faisant saigner abondamment en débridant au couteau, puis en suçant la plaie et en recrachant le venin. Placez un garrot au-dessus de la plaie. Lavez avec de l'eau javellisée dans une proportion de 60 à 75 ml (4 à 5 c. à table) par litre (pinte) d'eau ou avec une solution de permanganate contenant un comprimé pour 250 ml (1 tasse) d'eau. Cela fait, injectez-lui du sérum antivenimeux qu'il est indispensable d'avoir toujours dans vos bagages quand vous sortez avec votre chien à l'extérieur de la ville.

La couleuvre mord parfois; mais, bien que ce soit

douloureux, sachez qu'il n'y a pas de danger pour votre compagnon.

## Le danger des élastiques

Ne placez jamais un élastique autour du museau de votre Bullmastiff ou de sa patte. Il pénétrerait rapidement dans la peau et provoquerait une inflammation marquée par les poils et l'exsudation. Il faudrait alors le faire exciser. Faites bien comprendre à votre entourage, surtout aux enfants, qu'il s'agit là d'un jeu fort dangereux.

# Les maladies

## Les symptômes de maladie chez votre Bullmastiff

Bien que de constitution robuste, votre Bullmastiff demeure sujet à certaines maladies. Un chien, comme d'ailleurs tous les autres animaux, manifeste par des signes très clairs qu'il est sur le point d'être malade. Il est évidemment plus facile d'y être attentif si l'animal vous appartient; à force de vivre avec lui, vous saurez repérer rapidement les signes avant-coureurs et vous pourrez alors procéder aux soins nécessaires avant que la maladie ne devienne grave ou même chronique.

Si vous remarquez un changement dans ses habitudes quand il joue, s'il change d'humeur ou que son comportement aux repas est différent, s'il se laisse traîner pendant la promenade ou s'il est tout simplement triste, faites-lui subir un examen complet: mieux vaut prévenir que guérir.

Votre chien ne peut parler, mais il s'exprimera par des signes extérieurs. Il commencera par se désintéresser de sa nourriture et des jeux. Il ne recherchera plus la compagnie des autres et voudra rester seul; il refusera de faire sa promenade et aura l'air indifférent. Ne perdez pas votre calme lorsque vous remarquerez ces symptômes chez votre Bullmastiff; n'essayez pas de le forcer à manger ou à vous obéir.

Lorsque la maladie se développe, vous remarquerez que sa truffe est plus chaude que d'habitude; elle deviendra également sèche et rêche. Prenez la température de votre chien à l'aide d'un thermomètre médical introduit dans l'anus. La température normale de votre compagnon, s'il est en bonne santé, ne devrait pas dépasser 39 °C (102,2 °F). Vérifiez également son pouls en appuyant votre doigt sur la veine qui se situe à l'intérieur de la cuisse; normalement il devrait avoir entre 70 et 120 pulsations par minute. Cette marge de 50 pulsations oscille selon les moments de repos et les moments de surexcitation ou d'activité.

Apprenez à diagnostiquer au plus vite les diverses maladies dont nous allons énumérer les symptômes plus loin, afin que votre Bullmastiff reçoive les soins appropriés au plus tôt, pour enrayer l'évolution de la maladie. Par exemple, la rage se caractérise par certains symptômes: le chien a toujours la gueule ouverte, n'aboie plus de la même façon et a toujours envie de mordre.

En résumé, il faut toujours surveiller les changements de comportement de votre chien, son manque d'appétit et son besoin de solitude, car ce sont là les premiers symptômes de toute maladie.

## Les causes de maladie
## chez votre Bullmastiff

Vous n'avez pas spécialement à vous inquiéter à propos des maladies que votre Bullmastiff pourrait contracter; comme nous vous l'avons dit, ce chien est particulièrement robuste et n'a donc pas, généralement, de graves problèmes de santé. Comme tous les molossoïdes, les Bullmastiffs peuvent être atteints de dysplasie qui est une tare génétique plutôt qu'une maladie. Renseignez-vous auprès de votre vétérinaire; il connaît certainement le nouveau programme de dépistage. Néanmoins, vous devez savoir que certains animaux sont prédestinés à la maladie et que, malgré les soins qui leur sont prodigués, ils auront toujours des problèmes de santé.

Si vous gardez votre Bullmastiff dans votre appartement, il pourrait être sujet à l'eczéma; luttez contre cette maladie en lui faisant faire beaucoup d'exercice au dehors.

Nous n'allons pas entrer dans le détail des causes de la faiblesse de certains Bullmastiffs puisque la plupart d'entre eux sont sains; il arrive que certains croisements destinés à améliorer les qualités de la race rendent certains de ses représentants plus sensibles aux maladies, particulièrement à la gourme. À titre de prévention, il faut éviter que les chiots ne soient exposés aux changements de température trop rapides et à l'humidité. Cette tendance ne doit pas vous inquiéter outre mesure; elle est contrôlable et peut être neutralisée par des règles d'hygiène très strictes et par une surveillance continuelle de la condition physique de votre chien.

## Les soins au Bullmastiff

Le chien se soigne, habituellement, de la même manière que l'être humain. Il doit absorber des médicaments et recevoir des injections; tout comme l'homme il doit parfois subir des interventions chirurgicales. Le grand problème, c'est qu'il ne parle pas... Il ne peut pas vous expliquer pourquoi il déteste certains médicaments alors qu'il en prendrait d'autres bien volontiers. Il existe une bonne méthode pour administrer à un chien un médicament qu'il n'aime pas: donnez-le-lui en l'introduisant sur le côté de la gueule. Calmez l'animal en lui parlant doucement, prenez dans votre main droite la cuillère qui contient le médicament, en soulevant avec la main gauche la lèvre du chien; vous allez découvrir une cavité près de l'angle de la mâchoire, et il vous sera facile d'y verser le contenu de la cuillère. Le Bullmastiff avalera naturellement le médicament.

Si vous avez des soins prolongés à prodiguer à votre chien, utilisez des «cuillères ouvertes» spécialement conçues pour faciliter l'introduction du médicament dans la cavité de la lèvre inférieure. Si vous devez faire absorber à votre chien un médicament en poudre ou en gouttes, mélangez-le avec de l'eau, de la viande hachée, du sucre, du lait, du pain ou tout autre ingrédient.

Vous n'aurez aucune difficulté à faire une injection à votre chien, sauf s'il s'agit d'une intraveineuse. N'oubliez jamais de stériliser convenablement la seringue et d'éliminer les bulles d'air qui se forment quand vous aspirez le liquide dans la seringue. Désinfectez toujours la partie du corps qui doit être piquée en la frottant avec de l'alcool. Lorsqu'une injection intraveineuse s'avère nécessaire, il vaut mieux s'adresser à un vétérinaire. Il fera l'injection dans la veine saphène, qui se trouve sous le jarret.

Les lavages vaginaux, les clystères et les diverses applications externes ne devraient pas vous poser de problèmes particuliers. Liez bien les bandages car votre Bullmastiff essaiera de les enlever.

Soyez patient et compréhensif; soignez votre chien dans une atmosphère de calme. Vous verrez comme il est alors plus facile de le soigner et de le remettre vite sur patte.

# Les parasites externes

## Les puces

La puce est de loin le parasite externe le plus commun chez le chien. Habituellement, les morsures de puces causent des démangeaisons et des lésions dont la sévérité est souvent proportionnelle au nombre de morsures. Toutefois, votre Bullmastiff peut développer une allergie contre la salive de puce. Dans ce cas, le nombre de morsures importe peu. Quelques morsures par semaine suffiront pour entretenir des démangeaisons intenses et des lésions cutanées plus ou moins sévères. Dans les cas de dermatite causée par une allergie aux piqûres de puces (DAPP), l'élimination complète des puces dans l'environnement et sur votre Bullmastiff est primordiale. Il existe sur le marché un nombre incroyable d'insecticides présentés sous une multitude de formes telles que shampooing, crème de rinçage, poudre, aérosol, collier, etc. Pour faciliter votre choix, votre vétérinaire saura vous conseiller selon le degré d'infestation, l'âge et l'état de santé de votre Bullmastiff, selon qu'il souffre d'allergie aux piqûres de puces ou non, etc. Comme dernier point, mentionnons que la puce est l'hôte intermédiaire d'un ver plat, le *dipylidium caninum*. C'est-à-dire que la puce peut transporter et transmettre ce ver solitaire. Un chien parasité par les puces l'est souvent aussi par les vers plats.

## Les tiques

Les tiques sont plus nombreuses durant l'été. Elles ont la particularité d'enfoncer leur tête dans la peau pour se nourrir de sang, ce qui rend leur élimination plus difficile. Il ne faut surtout pas tirer sur la tique, car vous arracheriez le corps, alors que la tête restera incrustée dans la peau. Il est préférable de faire prendre à votre animal des bains avec des produits antiparasitaires.

## Les poux

Heureusement plus rares, ces parasites externes peuvent à l'occasion infester les chiens. Des bains avec des produits antiparasitaires en viendront à bout dans la majorité des cas.

## Les mites d'oreilles

L'otoacariase est une parasitose assez fréquente chez le chien. Ces mites ressemblent à des araignées microscopiques. Elles vivent et se reproduisent dans le conduit auditif externe de l'oreille.

Ces parasites mordent et irritent le canal de l'oreille, causant une otite parasitaire qui se manifestera par la présence de croûtes brunâtres (sang desséché) à l'intérieur du canal de l'oreille. Le chien se grattera les oreilles et se secouera la tête fréquemment. L'otoacariase est très contagieuse pour tous les habitants à quatre pattes de la maisonnée. On parviendra à éliminer les mites par l'application régulière d'une préparation otique prescrite par le vétérinaire. À l'occasion, une anesthésie générale sera nécessaire pour permettre un nettoyage au préalable.

## La gale sarcoptique

La gale sarcoptique est causée par une mite (*sarcoptes*) qui creuse des tunnels dans la peau. Elle se manifeste par des démangeaisons intenses. La peau sera rouge, croûteuse et sera sujette à des infections bactériennes secondaires. Cette affection est contagieuse pour les autres chiens, mais aussi pour l'homme. Votre vétérinaire devra intervenir rapidement.

## La gale démodectique

La gale démodectique (aussi appelée démodécie)

est causée par une mite qui envahit les follicules pileux, occasionnant une chute de poils plus ou moins généralisée. Cette affection n'est pas du tout contagieuse: par contre, elle peut être héréditaire. La forme généralisée représente sûrement le problème cutané le plus pénible à traiter.

## La teigne

La teigne n'est pas causée par un parasite, mais plutôt par un champignon microscopique (*fongus*). Les zones dépilées, à forme plus ou moins circulaire, auront tendance à s'étendre. En plus d'être contagieuse pour les chats et les autres chiens, elle l'est également pour les humains, et plus spécialement pour les enfants. En cas de lésions suspectes, consultez votre vétérinaire sans tarder.

## La dirofilariose

La dirofilariose (vers du cœur), qui sévit depuis longtemps dans le sud et l'est des États-Unis, s'étend depuis quelques années dans la majeure partie de l'Amérique du Nord.

Ces vers s'accumulent dans les cavités du cœur droit et les gros vaisseaux sanguins adjacents. La présence de vers adultes, mesurant jusqu'à 35 cm (1 pi) de long, augmente de façon considérable la charge de travail du cœur et restreint l'apport sanguin aux poumons, au foie et aux reins. Si l'infection persiste et n'est pas traitée, il en résultera une insuffisance cardiaque qui aboutira éventuellement à la mort du chien.

Ces parasites sont transmis par les moustiques. Le chien attrapera cette maladie s'il se fait piquer par un moustique qui a, au préalable, piqué un chien infesté. Il transmettra ainsi les microfilaires (forme immature du vers qui circule dans les vaisseaux sanguins). Inutile de dire que la transmission se fait seulement durant la saison des moustiques. Une fois l'animal infesté, il peut s'écouler jusqu'à un an avant l'apparition des signes. En fait, la maladie peut avoir atteint un stade très avancé au moment où elle commence à se manifester.

Heureusement, il existe maintenant plusieurs techniques efficaces pour diagnostiquer une infestation par les vers du cœur. Une fois l'existence d'une telle infestation bien établie, un traitement visant à éliminer les parasites adultes et les microfilaires sera administré. Il existe une thérapie préventive efficace qui permet de réduire considérablement les coûts et les soucis reliés au traitement de l'infestation par les vers du cœur.

## Les parasites internes

Il existe plusieurs sortes de vers intestinaux qui peuvent parasiter votre Bullmastiff.

### Les ascaris

Les ascaris (vers ronds) sont les parasites les plus fréquents. Ils sont blancs, ronds et effilés aux deux extrémités; leur longueur varie de 2,5 à 12 cm (de 1 à 4 po). La majorité des chiots sont infestés par ces parasites. Si votre Bullmastiff en est porteur, il pourra présenter des symptômes tels que l'amaigrissement et aura le ventre gonflé. Il sera sujet à la diarrhée ou aux vomissements. On pourra même trouver des «vers ronds» dans le vomitus ou les selles. Chez les chiens plus âgés, les symptômes sont plus discrets, et seule une analyse microscopique des selles, effectuée par votre vétérinaire, confirmera le diagnostic. En effet, le vétérinaire recherchera les œufs des vers, signes certains de la présence de vers adultes dans l'intestin de votre Bullmastiff.

Les chiots sont traités de façon systématique. Les

vermifuges d'usage courant sont habituellement efficaces contre les ascaris.

## Les trichuris

Les trichuris (vers à fouet) mesurent de 4 à 6 cm (environ 2 po) de longueur et vivent dans le gros intestin. Une infestation massive entraînera des symptômes semblables à ceux que provoquent les ascaris.

## Les vers à crochet

Le ver à crochet se fixe à la paroi intestinale et se nourrit de sang. Sa présence en grand nombre peut entraîner une anémie sérieuse.

## Le ténia

Le ténia (ver plat) appartient à la famille du ver solitaire de l'homme. Il existe plusieurs types de ténias. La sorte varie selon «l'hôte intermédiaire»; par exemple, citons celui qui est transmis par les puces et celui qui l'est par les rongeurs. En général, ils causeront peu de symptômes (amaigrissement peu marqué et diarrhée occasionnelle). On peut retrouver des segments de ténia séché autour de l'anus. Ces segments ont alors l'apparence de grains de riz. Si vous constatez l'existence de ces petits segments, consultez votre vétérinaire qui saura donner le médicament adéquat.

Si vous avez décidé de nourrir votre chien avec de la viande crue, assurez-vous de sa provenance car il ne faut pas oublier que le ténia échinocoque vivant dans les viscères des porcs et des bovins peut contaminer votre compagnon. De même, le ténia margine qui passe de l'état d'œuf à celui de larve dans l'estomac de certains porcs et moutons peut présenter un sérieux danger.

Méfiez-vous également de la cervelle de bœuf et de mouton ainsi que des viscères de lapin et de lièvre.

En plus de ces différents vers intestinaux, il y a également d'autres causes d'infections, telles la coccidiose et la giardiose qui peuvent occasionner des désordres intestinaux. Étant donné que le traitement est différent pour chacun des parasites ou agents infectieux énumérés ci-dessus, il est important d'identifier l'agent en cause avant d'entreprendre un traitement. Seule une analyse de selles, comme nous l'avons dit, permet au vétérinaire de déceler non pas les vers eux-mêmes, mais leurs œufs. Cet examen permet d'identifier les vers présents chez votre Bullmastiff, rendant ainsi possible le traitement à l'aide du médicament approprié.

## Les maladies infectieuses du chien

Votre Bullmastiff est susceptible de contracter certaines maladies infectieuses. Parmi celles-ci, citons la maladie de Carré *(distemper)*, l'hépatite infectieuse, la parvovirose, la toux de chenil, la rage et la piroplasmose. Ces maladies peuvent être graves et souvent mortelles. Heureusement, l'avancement de la science a permis le développement de vaccins efficaces contre ces affections.

### La maladie de Carré *(distemper)*

Cette maladie est sans doute la plus connue et, avec raison, la plus redoutée des propriétaires de chiens. La maladie de Carré est très contagieuse. Elle survient surtout chez les chiots provenant d'endroits où les animaux sont gardés en grand nombre, ce qui augmente le risque de contagion. On doit insister sur la méfiance que doit montrer l'éventuel acheteur envers certains chenils ou magasins d'animaux.

La maladie de Carré est causée par un virus qui s'attaque à plusieurs systèmes incluant le système nerveux. Les symptômes sont nombreux: perte d'appétit, écoulement purulent du nez et des yeux, toux, vomissements et diarrhée. Si de rares chiots survivent à la «phase digestive et respiratoire», la majorité mourront à la suite de l'invasion du virus au niveau du système nerveux provoquant perte de coordination, tremblements et paralysie progressive. Les chiens adultes sont un peu plus résistants à l'infection; quelques-uns y survivront mais la majorité y succomberont. Il ne faut toutefois pas s'affoler immédiatement. La maladie de Carré est relativement fréquente, mais les gastro-entérites et les bronchites le sont bien davantage, et ces dernières sont généralement traitées avec succès. La seule façon sûre de prévenir la maladie de Carré est la vaccination. Celle-ci a fait ses preuves depuis plusieurs années, et les nombreuses mortalités encore causées par ce virus ne sont dues qu'à un manque de prévention.

## L'hépatite infectieuse

L'éradication presque complète de cette maladie a été rendue possible grâce à des programmes de vaccination efficaces. Cette affection, causée par un virus, se rapproche beaucoup de la maladie de Carré tant par sa gravité que par ses symptômes. Par contre, elle ne cause pas de paralysie et n'est pas toujours fatale. La seule façon de l'éviter est encore la vaccination. De plus, ce vaccin est habituellement combiné à celui de la maladie de Carré.

## La parvovirose

Cette grave maladie, apparue seulement depuis quelques années, est aussi causée par un virus. Celui-ci cause une gastro-entérite sévère et souvent fatale, surtout chez les jeunes sujets.

Les symptômes sont alarmants: fièvre, perte

d'appétit, vomissement, violente diarrhée et déshydratation. En cas de symptômes gastro-intestinaux douteux, amenez votre compagnon chez le vétérinaire sans tarder. Des traitements de support pourront peut-être sauver la vie de votre Bullmastiff. Heureusement, il existe depuis quelques années un vaccin très efficace pour prévenir ce fléau.

## La rage

Cette terrible maladie était, jusqu'à la découverte du sérum antirabique par Pasteur, le cauchemar de tous les propriétaires d'animaux. La rage, bien qu'elle ne soit pas totalement enrayée, est maintenant contrôlée, et il est désormais possible d'immuniser votre chien. Néanmoins, il est absolument nécessaire que vous en connaissiez les symptômes pour le cas où elle se manifesterait.

La rage est une maladie virale très contagieuse qui peut frapper tout animal à sang chaud, l'homme y compris. Le virus, transmis par la salive d'un animal enragé, s'attaque au système nerveux des victimes, entraînant des changements de comportement tels qu'une soudaine agressivité, suivis de la paralysie et de la mort.

Un des premiers symptômes de la rage est le besoin de solitude de votre chien. Il ne sera pourtant pas déterminant puisque ce besoin est aussi le symptôme d'autres maladies. L'inverse peut d'ailleurs se produire: votre chien peut devenir soudainement joyeux. Il faut distinguer la rage furieuse de la rage muette. S'il a la *rage furieuse*, le chien aboie et mord; furieux et menaçant, il voudra mordre les personnes et les objets, au risque de se briser les dents. S'il a la *rage muette*, il restera calme, sans aboyer, mais avec la gueule ouverte; il deviendra insensible à la douleur. Dans les deux cas, il s'éloignera instinctivement de la maison, et vous ne le reverrez pas avant deux ou trois jours. Pendant ce temps, il errera et avalera n'importe quoi, et du sang sera mêlé à ses selles. Il cherchera à boire, tourmenté par la soif. Il ne reviendra dans la maison de son maître que pour y mourir. Ses paupières s'abaisseront et il aura le regard vitreux et fuyant. Il tentera de se gratter la gorge comme s'il avait avalé quelque chose. La paralysie commencera par frapper les membres postérieurs puis s'étendra à tout le corps.

La seule façon de contracter la rage pour votre Bullmastiff, ou pour vous, est d'être mordu par un animal enragé ou d'entrer en contact direct avec sa salive. Le virus peut pénétrer par une plaie, même des plus minuscules. Les principaux porteurs de rage sont les renards et les mouffettes.

Ne confondez pas la rage avec une crise d'épilepsie. Pendant une telle crise, le chien aura également des convulsions et de l'écume aux lèvres, mais cela ne durera que quelques minutes et n'aura rien à voir avec la rage. Votre vétérinaire, après un examen scrupuleux, pourra déterminer, en deux jours, si votre chien est atteint ou non de la rage.

Si vous soupçonnez que votre animal est enragé, la meilleure chose à faire reste de consulter rapidement votre vétérinaire qui établira la ligne de conduite à suivre. Il ne faut surtout pas tuer le chien en question, particulièrement s'il a déjà mordu quelqu'un.

Pour diagnostiquer la rage, votre vétérinaire mettra votre compagnon en quarantaine ou, si l'animal est mort naturellement ou à la suite d'une euthanasie, pratiquera des examens spécialisés du cerveau à l'autopsie.

On peut prévenir le développement de la maladie chez l'humain grâce à une série d'injections administrées le plus rapidement possible après la morsure. Si les signes cliniques sont déjà présents, la maladie est mortelle. Si vous êtes mordu par un animal sauvage ou errant, à l'allure bizarre, lavez et désinfectez la plaie immédiatement et ne tardez pas à consulter votre médecin. Néanmoins, ne confondez pas un chaton un peu fou ou un peu trop enjoué ou encore un chien de nature agressive avec un animal enragé. La meilleure thérapie contre la rage demeure la prévention par un programme de vaccination adéquat.

## La piroplasmose (fièvre des tiques)

Le *piroplasma cani* est le parasite responsable de la piroplasmose. Cette maladie semble inexistante en Amérique du Nord, mais elle fait des ravages en Europe.

Il s'agit d'une maladie du sang contagieuse. Si vous vous y prenez suffisamment tôt, vous en viendrez facilement à bout. Mais si elle n'est pas rapidement soignée, votre Bullmastiff peut en mourir.

La tristesse et la fatigue sont les premiers symptômes de la piroplasmose. Votre chien perdra ensuite l'appétit, et sa température montera à 40-41 °C (104-105 °F). Il vous sera facile de retrouver sur le corps de votre chien malade des tiques vivantes et remplies du sang de leur victime, ce qui confirmera vos craintes et précisera le diagnostic. Comme nous vous le disions plus haut, c'est le parasite *piroplasma cani* (ou piroplasme) qui est responsable de cette maladie transmise par les tiques. Ce parasite fait éclater les globules rouges: l'urine du chien devient rouge foncé.

La guérison dépendra de la rapidité de votre intervention à partir du moment où vous aurez décelé les premiers symptômes de la maladie. La convalescence sera longue et, durant cette période, votre chien pourra avoir des troubles néphrétiques ou hépatiques. Laissez-le se reposer pendant deux ou trois semaines: pendant la maladie, la rate s'hypertrophie et risque d'éclater si votre Bullmastiff s'agite trop ou fait des exercices trop violents.

Il n'existait pas, jusqu'à ces derniers temps, de vaccination préventive. Une firme pharmaceutique française (l'institut Mérieux) vient de mettre au point le premier vaccin contre cette maladie. Ce vaccin est déjà commercialisé en France. Il devra permettre, dans un premier temps, de protéger les 300 000 à 400 000 chiens qui, chaque année en France, souffrent de cette maladie, mortelle dans 1 cas sur 20.

Seuls, en cas de maladie déclarée, des traitements d'urgence effectués par le vétérinaire pourront sauver votre animal de la jaunisse et souvent de la mort. On peut aussi prévenir cette maladie en détruisant immédiatement les tiques au moyen d'un produit antiparasitaire efficace.

## Les affections des yeux

Il convient de rappeler quelles sont les parties externes de l'œil. La cornée est l'enveloppe transparente centrale recouvrant la pupille et l'iris; la sclérotique est la partie blanche de l'œil et la conjonctivite est la membrane transparente qui tapisse la sclérotique et l'intérieur des paupières.

Les affections des yeux sont nombreuses. Citons la blépharite (inflammation des paupières), la kératite (inflammation de la cornée), la conjonctivite (inflammation de la conjonctive), la cataracte (opacification du cristallin, lentille normalement transparente se trouvant à l'intérieur de l'œil).

Les causes des affections oculaires sont aussi multiples: infection bactérienne ou virale, trauma, corps étranger, cancer, maladie métabolique (exemple: cataracte diabétique) ou d'origine héréditaire (exemples: malformation des paupières, glaucome, atrophie de la rétine, cataracte), etc.

Les yeux de votre Bullmastiff sont précieux, il faut donc éviter de vous improviser «ophtalmologiste» et de soigner à «l'aveuglette» un problème oculaire quel qu'il soit. Il est important de consulter votre vétérinaire dans les plus brefs délais. Celui-ci pourra ainsi émettre un diagnostic précis et prescrira les médicaments appropriés de façon à prévenir des complications désastreuses.

## La conjonctivite

Il s'agit de l'inflammation de la conjonctivite, qui devient rouge et gonflée. L'inflammation pourra être aiguë, chronique, catarrhale ou purulente. Pour traiter la conjonctivite, lavez l'œil atteint avec une solution boriquée en enlevant, si nécessaire, le pus à l'aide d'un tampon de gaze trempé dans de l'eau bouillie et tiède. Enlevez éventuellement, avec une pincette, les cils qui auront pu pénétrer dans l'œil. Si des poils gênent, coupez-les avec des ciseaux. Appliquez du collyre antibiotique toutes les deux heures et une pommade à base de sulfamides et d'antibiotiques pendant deux ou trois nuits de suite. Espacez la médication au fur et à mesure que le Bullmastiff guérit. Gardez l'animal à l'abri de la lumière, au repos et dans un endroit où il ne sera pas dérangé. En l'éloignant des sources de lumière, vous éviterez une récidive de l'inflammation.

## L'entropion

Cette maladie se caractérise par le renversement de la paupière vers l'intérieur, contre la conjonctive. Les cils irriteront cette dernière et provoqueront l'apparition d'une conjonctivite ou d'une kératite. La cornée sera ulcérée. Dans la plupart des cas, l'entropion est congénital. Vous devrez vous adresser à votre vétérinaire: il soulagera votre compagnon en pratiquant une intervention chirurgicale.

## La kératite

Il s'agit de l'inflammation de la cornée. Elle se traduit par une opacité partielle ou totale de la cornée. Lavez l'œil très soigneusement avec une solution boriquée. Appliquez localement une pommade ophtalmique à l'oxyde jaune de mercure ainsi qu'une pommade antibiotique, comme vous le conseillera votre vétérinaire.

## La blépharite

Il s'agit de l'inflammation des paupières provoquée le plus souvent par un facteur externe et traumatisant comme une piqûre d'épine ou d'insecte, ou une blessure. Nettoyez bien l'œil avec une solution boriquée à 3 p. 100. Appliquez des compresses ni trop chaudes ni trop froides de camomille pendant environ un quart d'heure. Pour terminer, appliquez une pommade antiseptique sédative, à usage ophtalmique, selon l'usage commun.

## Le glaucome

Cette maladie se caractérise par la dilatation de la pupille, l'opacité de la cornée et le durcissement du globe. Pour guérir votre Bullmastiff, vous devrez le faire hospitaliser. La guérison est, avouons-le, fort aléatoire.

## La dégénérescence du pigment de la cornée

Il n'y a aucun traitement pour cette maladie. Il s'agit de l'infiltration d'un pigment brun et noir qui peut recouvrir une partie ou toute la surface de la cornée, comme si une membrane faisait le tour du globe oculaire.

## L'ulcère chronique

L'ulcère chronique se manifeste sans infection ni suppuration interne. Soignez le chien avec des gouttes et une pommade à base d'antibiotiques et de cortisone, avec l'accord de votre vétérinaire, bien sûr. Mettez les gouttes le matin, et la pommade le soir.

Il est très important de ne pas employer les gouttes et la pommade à base d'antibiotiques si l'ulcère est infecté. Vous ne feriez qu'aggraver l'infection en empêchant les mécanismes naturels de défense du chien d'agir.

## L'ulcère de la cornée

L'ulcère de la cornée est la maladie de l'œil la plus grave. Elle se caractérise par l'opacité de la cornée et la rugosité de sa surface. Vous décèlerez ces symptômes en regardant l'œil du chien obliquement sous une lumière assez forte. Vous verrez une auréole grise autour de l'ulcère. Cette auréole peut s'étendre à toute la cornée et à l'iris de l'œil.

Pour les *petits ulcères* d'environ 1 mm de long, administrez à votre chien des gouttes antibiotiques toutes les trois heures et frottez l'ulcère avec une pommade à base d'antibiotiques trois fois par jour. Avant de commencer le traitement, vous devez avoir l'assentiment du vétérinaire.

Les *grands ulcères* sont accompagnés d'un rétrécissement de la pupille. Administrez à votre chien quelques gouttes d'atropine une fois par jour, mais seulement après que votre vétérinaire vous en aura prescrit la dose exacte. Ce médicament devra être employé avec prudence afin que votre Bullmastiff n'en avale pas; ces gouttes sont très toxiques. Administrez-lui également des gouttes antibiotiques, après consultation du vétérinaire, toutes les deux heures, et appliquez sur l'ulcère une pommade antibiotique le soir avant que votre chien n'aille dormir.

Les ulcères très graves peuvent couvrir un tiers, et même plus, de la cornée et provoquer un rétrécissement de la pupille et une suppuration. Vous devrez administrer des gouttes d'atropine trois fois par jour et des compresses trempées dans de l'eau froide distillée mélangée à quelques gouttes antibiotiques, pendant environ 15 minutes toutes les deux heures et demie. Vous administrerez, en même temps, des gouttes antibiotiques toutes les heures et demie. S'il n'y a pas d'amélioration, adressez-vous à votre vétérinaire qui prendra votre chien en charge et agira au mieux pour le remettre vite sur patte, pour votre plus grande joie.

## La cataracte

Cette maladie affecte principalement les chiens âgés. Elle peut également se manifester à la suite d'un traumatisme violent dû à une intoxication ou à d'autres maladies, comme le diabète. Les symptômes de la cataracte sont facilement repérables: la pupille, normalement noire, devient blanche ou grise. Le traitement ne permettra pas, en général, de guérir votre Bullmastiff; il ne pourra qu'enrayer l'évolution de la lésion. On fait actuellement des essais pour adapter aux chiens les techniques employées pour les humains: même si l'opération réussit, on peut se heurter à des problèmes postopératoires et à l'impossibilité de remédier à l'absence de cristallin par des lentilles.

## Les maladies de l'oreille

Il est conseillé de peigner soigneusement les oreilles du chien qui peuvent retenir toutes sortes de parasites. Prenez également le temps de vous occuper du pavillon du conduit auditif. Servez-vous de cure-oreilles et d'un produit antiparasitaire, anti-inflammatoire et antibiotique vendu sur le marché.

## L'otite externe

Il s'agit de l'inflammation du conduit auditif causée par le cérumen, la saleté ou l'introduction d'un corps étranger.

## L'otite interne

L'otite interne est plutôt rare, et il vous sera difficile de la distinguer de l'otite moyenne. Les principaux symptômes sont la fièvre, les troubles d'équilibre, une certaine surdité, une grande nervosité et les vertiges.

## L'otite moyenne

L'otite moyenne est l'inflammation de la caisse du tympan provoquée par la présence d'un corps étranger ou par des lésions traumatiques. L'otite moyenne apparaît souvent comme une complication d'une otite externe.

## L'otite parasitaire

Comme la gale, cette maladie est provoquée par la présence d'un parasite du même genre que l'acarien. Ce parasite, le *symbiotes auriculare*, se fixe dans le conduit auditif. Il sera nécessaire de procéder à un examen microscopique pour être certain du diagnostic. Un Bullmastiff atteint d'une otite parasitaire se gratte énergiquement, secoue la tête et est parfois sujet à de véritables crises nerveuses.

## Traitement général des diverses otites

Assurez-vous de manière préventive de la propreté du conduit auditif. Quand une otite moyenne se déclare et qu'elle est purulente, faites des instillations (goutte à goutte) d'antibiotiques et de sédatifs. Quand il s'agit d'une otite parasitaire, nettoyez d'abord l'oreille, puis soignez-la avec les médicaments prescrits pour la gale. Il n'est pas inutile d'ajouter au traitement local un traitement général à base de sulfamides. Vous ne devez administrer les médicaments qu'après avoir eu l'accord du vétérinaire.

## L'ulcère du pavillon

L'ulcère du pavillon se manifeste par de petites plaies sur le bord extérieur de l'oreille. Soignez votre chien avec de la poudre cicatrisante et avec une solution désinfectante. Bandez l'oreille afin qu'il ne fasse pas d'hémorragie.

# Diverses maladies

## L'épilepsie

Les causes de l'épilepsie sont multiples. La forme la plus commune est d'origine héréditaire. Les crises d'épilepsie débutent habituellement chez le «jeune adulte» et deviennent plus fréquentes avec les années. Dans la forme héréditaire de cette maladie, les crises sont associées au mauvais fonctionnement d'une région précise du cerveau, sans pour cela être liées à une lésion spécifique.

Votre vétérinaire prescrira un anticonvulsant (le phénobarbital) pour prévenir les attaques. L'épilepsie héréditaire ne peut malheureusement être guérie, et votre Bullmastiff devra recevoir de l'anticonvulsant pour le restant de ses jours.

Les attaques d'épilepsie sont imprévisibles: elles peuvent être fréquentes ou espacées par de longs intervalles. Elles peuvent être causées par une peur soudaine ou par une excitation trop forte.

La crise d'épileptie la plus commune est du type «grand mal». Le chien tombe sur le sol en agitant convulsivement les pattes («pédalage»), son cou se replie vers l'arrière, il bave abondamment, roule des yeux, et sa gueule est pleine de bave; ses pupilles se dilatent et deviennent totalement insensibles à la lumière. La crise ne dure qu'une ou deux minutes, même si cela peut sembler interminable! À ce moment-là n'essayez surtout pas de tirer sur la langue de votre compagnon: contrairement aux humains, les chiens ne l'«avalent» pas, et vous risqueriez de vous faire mordre. En effet, durant la crise, votre chien est inconscient de ses gestes et peut vous mordre si vous mettez votre main dans sa gueule.

Ne confondez pas cette forme d'épilepsie avec l'épilepsie réflexe provoquée par des vers intestinaux ou par la constipation. Cette forme d'épilepsie n'est pas dangereuse et disparaîtra avec sa cause. Votre vétérinaire vous aidera à les distinguer.

Les autres causes de crises d'épilepsie sont moins fréquentes; citons les traumas, les infections (encéphalites par exemple), les empoisonnements, le cancer, etc.

Le traitement et le pronostic varient selon la cause.

## La gastro-entérite

Cette maladie combine une inflammation de l'estomac (gastrite) et une inflammation de l'intestin (entérite). Les causes sont diverses; citons les parasites intestinaux, les infections, les changements d'alimentation, la nourriture avariée, les empoisonnements, etc. La gastro-entérite se manifeste par des vomissements et/ou de la diarrhée. En pareil cas, il faut faire jeûner l'animal pendant 24 heures et lui donner des glaçons ou de l'eau fraîche en petites quantités. Par la suite, il faut lui servir fréquemment de petites portions d'aliments faciles à digérer, comme du bœuf haché mélangé à du riz bouilli et ce, pendant quelques jours. Par contre, si le problème persiste ou qu'il semble très sérieux, n'hésitez pas à consulter votre vétérinaire.

## La bronchite

La bronchite peut s'attraper par temps humide ou froid. Elle peut aussi être la complication d'un rhume. Vous remarquerez un échauffement de la truffe, une respiration difficile, une toux sèche et des yeux rouges larmoyants.

Vous laisserez votre compagnon se reposer dans un lieu à l'abri des changements de température et des courants d'air, tout en lui donnant des sirops balsamiques et antibiotiques (après avoir pris conseil de votre vétérinaire). Diminuez ses rations de nourriture. Au cours de sa convalescence, donnez-lui des aliments vitaminés et des fortifiants pour qu'il puisse rapidement se remettre sur patte et jouir de la vie.

## La dysenterie

Si vous remarquez qu'une diarrhée s'aggrave par des décharges liquides abondantes et des vomissements, il s'agit sûrement de dysenterie. Commencez par faire jeûner votre chien pendant 24 heures. Adressez-vous au vétérinaire afin qu'il prescrive un régime destiné à le débarrasser de cette maladie.

## L'obésité

L'obésité est un excédent de poids par rapport à la normale. À part dans le cas des animaux qui hibernent ainsi que des mammifères aquatiques, l'accumulation de graisse est toujours mauvaise et malsaine pour l'organisme.

Messieurs Edney et Smith, deux chercheurs britanniques, ont proposé en 1986 une classification de la corpulence chez les chiens:

*Maigre:* Poids insuffisant, pas de graisse visible.

*Mince:* Peu de graisse visible, structure du squelette apparente.

*Optimum:* Présence normale de graisse, on peut palper les côtes mais on ne peut les voir; c'est dans cette catégorie qu'il est bon de chercher le chien que vous désirez acquérir. Les chercheurs ajoutent que le critère d'optimum n'est pas valable chez l'homme pour lequel la répartition est très différente.

*Gros:* Côtes non visibles quand le chien se déplace, elles sont difficilement palpables, le poids est un peu supérieur à la normale.

*Obèses:* Côtes non palpables, l'animal ne peut pas se mouvoir normalement et on peut saisir à pleines mains les bourrelets de graisse.

Il est malheureusement fréquent de voir certains maîtres faire grossir volontairement leur Bullmastiff, croyant que l'aspect plus étoffé du chien leur vaudra une récompense dans les concours.

Nous devons informer un tel maître, comme le fait avec raison le docteur vétérinaire Valérie Duphot, que l'obésité entraîne, à long et moyen termes, des pathologies articulaires, cardiaques et respiratoires; l'obésité diminue, comme chez l'homme, l'espérance de vie. Il faut retenir que l'obésité provient d'un manque d'exercice et d'un excès alimentaire ou d'une alimentation mal équilibrée. La castration prédispose à l'obésité; les femelles castrées sont deux fois plus susceptibles de devenir obèses que les femelles qui ne le sont pas. Les facteurs génétiques, poursuit le docteur Duphot, interviennent aussi, de même que la race: s'il y a peu de Fox-Terriers, de Rottweilers et de Boxers obèses, les Bassets hounds, les Beagles et les Bulldogs sont prédisposés à l'obésité. Heureusement le Bullmastiff actif n'appartient pas à cette catégorie de chiens sujets à l'obésité. Ce serait donc une erreur de vouloir, de force, le faire grossir.

Si, pour une raison involontaire, votre chien a grossi, adressez-vous à votre vétérinaire; il vous préparera un régime qui permettra à votre Bullmastiff de trouver son poids idéal.

## Les rhumatismes

On connaît mal les raisons des affections rhumatismales qui frappent les articulations et les muscles. Plusieurs théories sont avancées: elles pourraient être propagées par un virus; elles pourraient également provenir des suites d'une allergie ou d'une uricémie. Le Bullmastiff n'est pas fragile des articulations, mais vous devrez néanmoins le surveiller attentivement.

Étant donné que ce sont surtout les chiens adultes qui en sont atteints, on suppose que le mal est lié à l'âge ou au manque d'exercice. Les rhumatismes se logent surtout dans les muscles, le dos, les reins et le cou. Le traitement est simple: appliquez sur les endroits douloureux des doses de salicylate de sodium et faites avaler à votre chien de petites doses d'aspirine. Gardez-le au chaud.

## La tuberculose

Cette maladie peut toucher autant l'homme que le chien. Ce dernier pourra, s'il mange les restes du repas de l'homme, être contaminé. Vous lui aurez certainement appris au cours du dressage à ne pas accepter de nourriture d'un étranger et à ne pas se nourrir de déchets dont il ne connaît pas la provenance.

La tuberculose est une maladie qui dure longtemps et qui devient souvent chronique. Le Bullmastiff maigrira au fur et à mesure de la progression de la maladie: il perdra complètement l'appétit. Vous remarquerez une diminution considérable ou même la disparition de sa volonté. Sa température sera un peu plus élevée que la normale. En général, vous ne vous adresserez au vétérinaire que lorsque les symptômes deviendront plus gaves: une respiration saccadée et plus rapide, des muqueuses très pâles, un amaigrissement et de la fatigue.

Il existe deux formes de tuberculose. La *tuberculose pulmonaire* se caractérise par une toux, par un écoulement nasal de pus et par une pleurésie accompagnée de fortes transpirations. La *tuberculose abdominale* se caractérise par un grossissement de la région abdominale, par de la diarrhée, par un épanchement de liquide aqueux dans les parois intérieures de l'abdomen et par un manque d'appétit.

Au début de la maladie, la température est d'environ 39,5 °C (103,1 °F); elle peut atteindre ensuite plus de 40 °C (104 °F). La tuberculose est difficilement détectable et peut aisément être confondue avec d'autres maladies du système respiratoire ou du système gastro-intestinal. Les indices les plus sûrs pour savoir si votre Bullmastiff est atteint de tuberculose seront sa maigreur inhabituelle, l'apparition de cavités sur son crâne et la réduction de ses muscles.

Afin d'être certain que votre chien est atteint de tuberculose, demandez à votre vétérinaire d'effectuer un examen microscopique pour identifier le bacille de Koch. Ce bacille peut être repéré dans les sécrétions nasales et dans le liquide péritonal. La guérison n'est jamais garantie; le traitement est long et difficile. Peut-être devrez-vous abréger les souffrances de votre compagnon.

## La constipation

Une alimentation mal équilibrée et le manque d'exercice peuvent constiper votre chien. Faites-lui prendre de l'huile de vaseline ou de l'huile d'olive, mais ne lui administrez pas de purge ou de laxatifs qui ne feraient qu'aggraver le mal en irritant la muqueuse intestinale.

## Le tétanos

Cette maladie est due au développement dans une plaie du bacille de Nicolaier. Le tétanos est plutôt rare chez les chiens, mais vous devrez surveiller les plaies souillées de fumier, de terre ou d'autres éléments. Dans ce cas, faites faire une injection de sérum antitétanique. Vous pouvez d'ailleurs, pour être tout à fait rassuré, le faire vacciner par votre vétérinaire avec l'anatoxine antitétanique, découverte par le bactériologiste Ramon.

## Le diabète

Il y a deux sortes de diabète: le *diabète mélitus* et le *diabète insipide*. Le diabète mélitus provient d'une grande perturbation du métabolisme du chien: en effet, son pancréas ralentit ou cesse complètement sa production d'insuline; au lieu de nourrir les tissus, le sucre est alors éliminé dans les urines. Votre chien pourra continuer à avoir de l'appétit mais s'affaiblira au fur et à mesure que la maladie évoluera. Il aura de plus en plus faim et soif. La quantité d'urine éliminée augmentera. La peau deviendra sensible aux infections et aux lésions qui se cicatriseront plus lentement.

Votre vétérinaire prescrira des piqûres quotidiennes d'insuline à dose variable selon la taille et le poids de l'animal. Évitez de lui donner des farineux et des aliments sucrés, quels qu'ils soient. Si vous ne traitez pas le diabète, votre chien entrera dans le coma diabétique qui précède la mort.

Le diabète insipide provient de lésions des centres nerveux ou des suites d'une autre maladie qui aura affaibli le chien. Son urine sera abondante et claire. Il maigrira progressivement et il n'arrivera jamais à étancher sa soif. Il s'affaiblira et connaîtra de longues périodes de somnolence. Votre vétérinaire lui prescrira des toniques et de petites doses de stéroïdes. Armez-vous de beaucoup de patience, le traitement sera long.

## La nervosité excessive

Si votre chien ne dort plus, aboie continuellement et devient agressif tout en ayant l'air d'être en bonne santé, vous devrez le faire soigner pour des troubles d'ordre psychologique. Ces troubles peuvent survenir à l'occasion d'un voyage, d'un déménagement ou de l'achat de votre Bullmastiff. Administrez-lui un sédatif. Si ces troubles dégénèrent en convulsions ou en crises nerveuses graves, adressez-vous sans tarder au vétérinaire.

# La santé préventive

La santé préventive consiste à recourir aux connaissances scientifiques et aux outils médicaux actuels pour prévenir la maladie. La santé préventive peut améliorer la qualité de vie de votre Bullmastiff et lui permettre de vivre plus longtemps. Il est tellement plus facile de prévenir que de guérir, ce qui, en plus d'être moins coûteux, évite des souffrances inutiles à votre Bullmastiff.

## *La vaccination*

L'un des aspects importants de la santé préventive consiste en la vaccination. Celle-ci permet de prévenir plusieurs maladies infectieuses graves et parfois mortelles que votre Bullmastiff pourrait contracter.

Parmi celles-ci, citons la maladie de Carré (*distemper*), l'hépatite infectieuse, la parvovirose, la leptospirose, la toux de chenil et la rage. Votre Bullmastiff devrait absolument être vacciné contre le *distemper*, l'hépatite infectieuse et la parvovirose. D'ailleurs ces vaccins sont habituellement combinés, ce qui en facilite l'administration. Votre vétérinaire vous dira si, oui ou non, il convient de vacciner votre Bullmastiff contre la toux de chenil ou la rage, selon l'incidence de ces maladies dans votre région ou encore selon l'environnement dans lequel vit votre Bullmastiff.

Le vaccin apprend à l'organisme à se défendre contre un microbe. On administre en petites doses ce micro-organisme «atténué» ou «tué» à votre Bullmastiff, de façon qu'il développe une «immunité» sans toutefois développer la maladie. Si les vaccins apprennent à l'organisme à se défendre, il faut se souvenir que ce dernier a la mémoire relativement courte et qu'il aura besoin qu'on la lui rafraîchisse de temps en temps, d'où la nécessité des vaccins de rappel qui vont maintenir l'efficacité du système de défense de votre Bullmastiff.

## Les parasites

Comme nous l'avons vu auparavant, votre Bullmastiff est exposé à être l'hôte d'une multitude de parasites internes et externes tels les ascaris, les vers plats, les puces, les tiques, les mites d'oreilles, etc. Des produits antiparasitaires et des vermifuges appropriés ainsi qu'un environnement propre amélioreront la qualité de vie de votre Bullmastiff.

En ce qui concerne les vers intestinaux, vous devez apporter un échantillon de selles à votre vétérinaire qui en fera un examen microscopique. Cela permettra d'identifier les œufs pondus par ces parasites. De cette façon votre vétérinaire sera en mesure de prescrire un vermifuge spécifique.

En ce qui a trait aux parasites externes, les puces sont de loin le problème le plus fréquent et certainement le plus pénible à régler. On dit que pour chaque puce sur votre Bullmastiff, il y en a cent dans l'environnement. Dès lors, il est aussi important de «traiter» l'environnement que l'animal. Votre vétérinaire saura vous conseiller sur la façon de procéder et sur les produits à utiliser.

## *Un régime équilibré*

Un régime équilibré en qualité et en quantité offrira au chien une meilleure défense contre les infections et préviendra l'embonpoint. Les besoins nutritifs du chien varient beaucoup selon son activité et son âge. Par exemple, un chien en pleine croissance ou une chienne allaitant ses petits requièrent beaucoup plus d'énergie, donc de protéines et de minéraux, qu'un vieux «cabot» paresseux.

## *Les maladies de la femelle*

### La grossesse nerveuse

Le Bullmastiff femelle pourra se comporter, comme toute chienne d'une autre race, comme si elle était enceinte, sans avoir eu de rapports avec un mâle. Elle oubliera de se nourrir, elle gémira et se mettra à préparer une couche pour les soi-disant nouveau-nés. Ses mamelles pourront même gonfler. La grossesse nerveuse est tout de même peu courante. Il est rare qu'elle se produise mais, le cas échéant, adressez-vous au vétérinaire qui décidera, avec vous, s'il y a lieu de pratiquer l'ablation des ovaires et de l'utérus.

### Les kystes ovariens

Les kystes ovariens sont plutôt rares chez la chienne parce que les follicules restent liquides. Si néanmoins elle en a, votre chienne sera en chaleur de façon permanente et elle ne pourra probablement pas procréer.

Le vétérinaire devra pratiquer l'ablation des ovaires et de l'utérus pour la guérir.

## L'éclampsie

Quand la chienne est prête à mettre bas, et encore plus souvent après la naissance de ses chiots, elle peut avoir une crise semblable à une attaque d'épilepsie. Elle se balance d'abord puis tombe sur le côté; ses pattes deviennent raides et elle les lance dans le vide; elle commence à baver.

Tous ces symptômes peuvent disparaître comme ils sont venus, mais, comme il n'est pas possible de prévoir une récidive, il vous faudra appeler votre vétérinaire qui prescrira un calmant ou des sels de calcium sous forme de piqûres. Il décidera également s'il est bon de continuer l'allaitement des chiots, le surplus de calcium pouvant leur être néfaste.

## La mammite

La mammite, ou matite, est l'inflammation d'une ou de plusieurs mamelles. Cette inflammation est causée par un coup, une infection bactérienne ou une congestion; elle provoque la lésion du téton. Ce sont souvent les petits qui en sont responsables, surtout si la mère n'a pas suffisamment de lait. La chienne s'éloigne alors des chiots puisque, chaque fois qu'ils tètent, elle éprouve une douleur provenant du tiraillement des mamelles. Le vétérinaire soignera votre Bullmasiff avec des médicaments à base d'antibiotiques.

## La vaginite

Au cours d'une saillie, le pénis du mâle peut causer des lésions au vagin. La vaginite peut également survenir après la mise bas. Vous remarquerez, si votre chienne souffre de cette inflammation, qu'elle devient nerveuse et qu'elle perd du sang par la vulve. Le vétérinaire fera suivre à votre chienne un traitement antibiotique adéquat.

## La métrite

La métrite est l'inflammation de l'utérus. Elle est causée par des infections résultant d'un retenue des enveloppes fœtales. Elle peut également survenir à cause d'un accouchement. Vous remarquerez une sécrétion liquide malodorante et sanguinolente. La femelle perdra l'appétit, elle s'affaiblira physiquement et perdra du lait; sa température pourra monter jusqu'à plus de 40° C (104 °F). Consultez aussitôt le vétérinaire: il prescrira les médicaments appropriés ainsi que des antibiotiques qui feront baisser la fièvre.

La propreté de la couche de la chienne ainsi que celle de ses parties génitales, lorsqu'elle met bas, sont les meilleures mesures de prévention contre cette maladie.

## La vulvite

Les causes de la vulvite sont les mêmes que celles de la vaginite. La partie externe du vagin, la vulve, s'enflamme. L'application d'une pommade à base d'antibiotiques devrait suffire.

## Les maladies du mâle

### L'altération du pénis

Deux cas peuvent se présenter: l'inflammation de l'extrémité du pénis provoquée par un traumatisme; la fracture de l'os pénien au cours d'un accouplement ou sous l'effet d'un choc contre un obstacle. Le vétérinaire, qui devra être immédiatement consulté, administrera à votre chien des antibiotiques dans le cas de l'inflammation, et aura recours à une intervention chirurgicale s'il y a fracture.

## L'orchite

L'orchite est l'inflammation d'un ou des deux testicules de votre Bullmastiff. Elle est presque toujours due à un coup reçu dans les parties génitales. Quelquefois, la présence de microbes peut déclencher l'orchite.

Pour soulager votre chien, appliquez des compresses chaudes et humides imprégnées de sulfate de soude. Contactez votre vétérinaire s'il y a infection: il prescrira les antibiotiques appropriés.

# La stérilisation

On peut considérer la stérilisation comme solution préventive à toutes sortes de problèmes.

L'*ovario-hystérectomie* chez la chienne consiste en l'ablation des ovaires et de l'utérus. Les avantages de cette chirurgie sont nombreux. Finies les chaleurs, dont vous éliminez en même temps toutes les conséquences désagréables: fugues, gestations non voulues, etc. De plus, cette intervention écarte les risques d'infection ou de cancer de l'utérus et des ovaires. Si cette prévention est pratiquée à la chienne dans son jeune âge, elle diminue l'incidence du cancer des glandes mammaires. Le seul désavantage possible de l'ovario-hystérectomie est la tendance à l'obésité, car votre chienne peut développer des habitudes sédentaires. Si la quantité de nourriture que vous lui donnez est adéquate, vous éviterez sans peine cet inconvénient. Relisez le paragraphe sur l'obésité.

La *castration* chez le chien consiste en l'ablation des testicules. Les avantages sont nombeux: diminution du vagabondage, de l'agressivité vis-à-vis des autres chiens mâles, réduction des problèmes de prostate reliés à l'âge et de l'incidence de certains types de cancers reliés à la sécrétion d'hormones mâles.

Les chiens et les chiennes stérilisés ne sont pas des animaux dénaturés pour autant. Libérés du «fardeau» de l'instinct sexuel, votre animal sera plus détendu, vagabondera moins et sera plus friand de caresses.

# La bonne conduite

Grâce au lait maternel, les chiots doublent leur poids en moins de 10 jours.

# Les activités

Observez bien votre Bullmastiff: n'a-t-il pas l'air mélancolique sinon malheureux avec son masque noir dessiné autour de ses yeux plutôt sombres, de son nez épaté et de ses mâchoires solides? Erreur! Vous avez devant vous l'un des chiens les plus actifs qui soient, un chien dont l'entrain est proverbial. Comme quoi on ne devrait jamais se fier aux apparences.

Après l'avoir dressé convenablement, vous aurez près de vous l'un des meilleurs chiens de garde qui soient. Tout cela à condition, et nous vous le répétons, que vous l'ayez dressé à obéir afin d'affaiblir sa tendance naturelle à être impétueux.

Votre Bullmastiff a besoin d'une promenade quotidienne et nous dirions même d'une bonne marche pour se tenir en forme; cette marche vous sera également bénéfique et vous empêchera de prendre du poids! Vous vous rendrez ainsi mutuellement service. Mais, comme nous vous l'avons déjà mentionné, empêchez autant que possible une rencontre entre votre Bullmastiff et un autre chien de même taille ou plus grand; la meilleure solution sera encore de le tenir en laisse, mais attention aux coups de butoir qu'il peut donner pour se libérer de votre mainmise; sa force est extrêmement grande... soyez plus résistant que lui, soyez celui qui l'empêchera de mettre en pièces son adversaire éventuel.

Son activité principale sera de garder votre propriété, ce qu'il fera avec la plus grande attention; sa stature seule fera reculer bien des malfrats. Heureusement pour le malfaiteur, son dressage aura diminué sa fougue: un Bullmastiff non dressé est très redoutable et peut occasionner des blessures fort graves dont l'intrus aurait du mal à se remettre.

Malgré tout ce que nous venons de vous dire, le Bullmastiff est le plus doux des compagnons; vous le verrez jouer avec les enfants de façon charmante et calme tout en les laissant faire les pires choses que leur dictera leur imagination. Il est tellement patient que cela en est presque incroyable!

Et que dire de l'amour qu'il voue à son maître? Regardez ses yeux, vous y verrez le reflet de sa fidélité, de sa loyauté et de son affection. Rendez-lui la pareille en ne le laissant seul que si vous ne pouvez faire autrement; il s'ennuerait et passerait son temps à dormir, ce qui n'est pas la meilleure façon de cultiver sa puissance et sa souplesse... On a raison de dire que le Bullmastiff réunit trois qualités rares: beauté, bravoure, bonté. Que demander de plus?

# Le dressage

## Le début du dressage

Pour atteindre son équilibre, votre Bullmastiff a besoin d'être dressé d'une main ferme. Vous remarquerez, une fois le dressage terminé, combien votre compagnon est fier de pouvoir accomplir ce que vous lui ordonnez. Il apprend vite tout ce que l'on veut bien lui enseigner; il est curieux de tout et, toujours sur le qui-vive, il est malgré sa petite taille un excellent chien de garde. L'affection qu'il a pour vous, s'ajoutant à son intelligence, vous rendra son dressage facile. Ce qui ne veut pas dire qu'il ne vous faudra pas, avant d'arriver au résultat final, parcourir un long chemin.

Si vous ne vous en sentez pas la force, nous vous conseillons de vous faire aider par un dresseur professionnel, que vous choisirez avec discernement après avoir demandé conseil à votre entourage et surtout à un conseiller canin. Ces suggestions devront être prises très au sérieux.

La première partie du dressage du Bullmastiff vise à

faire comprendre à l'animal les contraintes de la vie de tous les jours: ne pas aboyer sans nécessité ou quand on le lui défend, ne pas faire ses besoins là où cela ne lui est pas permis, savoir rester en laisse, ne pas voler, répondre à son nom, marcher près de vous quand vous le lui demandez, etc.

Certains dresseurs professionnels donnent un cours spécial destiné aux tout jeunes chiots, d'au moins deux mois et demi cependant, afin de leur inculquer ces notions et de les préparer au vrai grand dressage. Votre conseiller canin vous indiquera ces écoles.

La deuxième partie du dressage amènera le Bullmastiff à être physiquement et moralement prêt à obéir et à avoir un sens encore plus aigu de la propriété ou de la protection, selon le but de votre dressage. Cette phase débutera lorsque votre Bullmastiff aura environ sept mois.

Le Bullmastiff, comme tout autre chien, a besoin d'un maître, ne l'oubliez surtout pas. Il obéira à ceux qui savent se faire respecter et lui donner des ordres clairs.

Si, durant l'apprentissage, votre chien devient hargneux ou est simplement de mauvaise humeur, sachez que vous en êtes le seul responsable. Votre compagnon a besoin d'être dominé: prenez l'air sévère et donnez les ordres adéquats, mais restez toujours juste. Le Bullmastiff a très bonne mémoire et pourrait vous en vouloir longtemps si vous commettez une injustice à son égard. Un éducateur habile peut lui faire comprendre beaucoup de mots différents. Vous pourrez même arriver, grâce à son intelligence, à ce qu'il réponde à certaines de vos mimiques.

Ne compromettez pas l'avenir de votre chien et vos relations avec lui par un mauvais dressage; l'effort en vaut la peine.

# Le dressage du chiot

Habituez très tôt votre chiot à satisfaire ses besoins à l'extérieur. Assignez-lui une place fixe à cet effet, un endroit qui restera le sien.

Ne grondez votre chien qu'au moment précis où il commet une bêtise, parce que, ce moment passé, il ne pourrait en aucune façon comprendre pourquoi vous le punissez. Sachez que votre Bullmastiff, comme d'ailleurs tous les autres chiens, ne peut lier la cause à l'effet que si ces deux actes sont simultanés.

Complimentez, récompensez votre jeune chien chaque fois qu'il exécute ce que vous lui demandez. Cette méthode est excellente: votre chiot répétera les mêmes gestes pour recevoir sa récompense, et cette répétition en fera des gestes habituels.

Ne frottez jamais le museau de votre chiot sur la cause de sa bêtise; ce geste est totalement inutile et pourrait même être néfaste. Si votre chiot fait une bêtise, grondez-le immédiatement. S'il fait ses besoins là où il n'est pas autorisé à les faire, sortez-le pour lui montrer l'endroit qui lui est réservé. Votre Bullmastiff, s'il est désobéissant, est propre par instinct. S'il renifle le sol ou cherche à s'isoler, emmenez-le tout de suite à l'endroit réservé à ses besoins.

Éduquer votre chien est une bonne chose, mais ce n'est pas suffisant: vous aurez également à éduquer votre famille; le chiot imite tout et il ne faudra donc pas lui montrer de mauvais exemples.

Un dressage approximatif n'a jamais rien donné de bon. Si vous décidez de faire dresser votre Bullmastiff par des spécialistes, sachez qu'un bon dressage pourrait vous coûter deux ou même trois fois le prix payé pour le chien. Mais il s'agit d'un investissement rentable, si vous tenez compte des services que vous rendra votre compagnon. La satisfaction d'avoir un chien dressé à la perfection compensera largement vos dépenses; de plus, vous aurez la satisfaction d'être le maître d'un chien qui aura été dressé selon sa nature.

Nous vous donnons le détail d'un dressage que vous pouvez effectuer vous-même. Il vous donnera des résultats satisfaisants si vous le faites avec un sérieux sens de l'éducation.

## Les principes

Vous aurez à cœur de suivre scrupuleusement les différents principes que nous allons vous énumérer maintenant afin que l'éducation de votre Bullmastiff progresse avec efficacité. Votre Bullmastiff est moyennement grand (60 cm (21 po) environ); aussi est-il bon de lui parler en vous mettant face à lui afin qu'il puisse observer facilement les mimiques de votre visage et l'expression de vos yeux, où il lira l'énergie, la décision et la... douceur!

1. Les ordres doivent être donnés de manière que le chien puisse associer le ton de votre voix à leur exécution. Ne pouvant saisir la signification des mots prononcés, il obéira à l'intonation. Il est absolument nécessaire de faire comprendre à votre chien le lien entre l'ordre donné et l'exécution de l'exercice. Vous y arriverez à force de patience et, surtout, de répétitions; ne changez surtout pas le ton de votre voix: ayez toujours le même ton pour le même ordre. Pour un exercice comportant un seul mouvement, l'ordre doit être donné sur un ton sec et avec des mots courts; l'ordre pour une série de mouvements, sur un ton plus amical et avec des mots plus longs.

N'oubliez pas que votre Bullmastiff est un animal très sensible et que si vous lui donnez un ordre lorsque vous êtes énervé, vous provoquerez chez lui la confusion et le doute.

2. Commencez le dressage par les exercices les plus faciles, en allant progressivement vers les plus difficiles. Ne commencez pas une nouvelle phase du dressage avant que la phase précédente ne soit totalement assimilée.

3. Chaque leçon de dressage se terminera quand le chien aura correctement accompli l'exercice; vous ne devez jamais l'interrompre au milieu d'un exercice. Si vous voyez que votre chien est fatigué, il est préférable d'arrêter la leçon dès qu'il aura accompli l'exercice de façon satisfaisante. N'oubliez pas de le féliciter. Quand l'exercice est composé de plusieurs mouvements et que votre chien n'a pas bien compris ou n'exécute pas correctement une partie de cet exercice, faites-le-lui répéter au complet et pas seulement la partie mal exécutée: vous devez obtenir un enchaînement parfait de tous les mouvements qui le composent.

4. Lorsque vous donnez un ordre, soyez gai, énergique et dynamique. Donnez l'exemple à votre chien. Évitez les mauvaises manières et les gestes d'impatience.

5. Vous devez répéter les exercices dans des endroits différents afin que l'environnement n'influence pas le chien. Quand les premiers exercices d'obéissance auront bien été assimilés, passez à des exercices plus difficiles.

6. Il est bon, avant de commencer une leçon, de laisser votre Bullmastiff satisfaire ses besoins physiologiques; laissez-lui quelques minutes de liberté à cette fin.

7. Établissez un horaire pour le dressage du chien. Le meilleur moment est avant ses repas. Il considérera ainsi la nourriture qu'il reçoit comme une récompense pour avoir bien accompli ses exercices. N'amenez jamais votre Bullmastiff sur le terrain d'exercices juste après les repas: le chien réagirait avec paresse et sans enthousiasme aux ordres que vous lui donneriez.

8. Si vous vous sentez nerveux, il vaut mieux renoncer à la leçon et la reporter à plus tard; dans cet état, vous n'obtiendriez rien du chien et vous risqueriez même de compromettre ce que vous avez réussi jusque-là.

9. Comme tout un chacun, votre Bullmastiff peut ne pas avoir envie de travailler ou être indisposé pour une quelconque raison. Observez toujours votre compagnon attentivement avant chaque leçon pour déceler s'il est ou non, «d'humeur» à faire ses exercices. Traitez-le avec affection et humanité, préoccupez-vous de sa santé et décidez s'il est préférable de commencer la leçon ou de la remettre à plus tard.

10. Examinez tous les jours les pattes, les ongles et les espaces interdigitaux de votre Bullmastiff; soignez-le si vous remarquez des piqûres, des lésions ou toute autre blessure mineure.

11. N'utilisez pas le collier clouté pour punir votre chien; ce collier ne devra être utilisé qu'avec un chien particulièrement rebelle ou au caractère extrêmement difficile; rassurez-vous, ce genre de caractère ne se rencontre pratiquement pas chez les Bullmastiffs. Si, malgré tout, tel est le cas, tirez faiblement sur la laisse tout

en expliquant à votre chien pourquoi vous le punissez. Le collier clouté ne doit être que rarement employé et uniquement si vous n'avez pas d'autre moyen de lui faire comprendre que la désobéissance ne paie pas et doit être punie; mais faites-le toujours avec circonspection.

12. Ne vous laissez pas prendre au dépourvu par votre chien. Essayez de deviner pourquoi il ne veut pas faire un exercice: il est préférable de ne pas le lui faire exécuter plutôt que de le voir l'interrompre lui-même.

13. Si votre chien refuse d'exécuter un exercice alors qu'il en est capable, grondez-le sévèrement *immédiatement* et ordonnez-lui de l'exécuter. Par contre, si votre chien s'est trompé parce qu'il n'a pas compris, faites-lui répéter l'exercice sans le gronder.

14. Ne prononcez pas de longues phrases en donnant des ordres à votre chien; il ne les comprendrait pas. Peu de mots sur un ton impératif sont préférables.

15. Quand votre élève a bien travaillé, récompensez-le par quelques tapes affectueuses sur le cou avec le plat de la main; faites-lui faire une petite halte dans son entraînement; offrez-lui une friandise, mais pas trop souvent, cela n'étant guère conseillé pour sa bonne forme et sa santé. Quand vous le félicitez pour l'exécution de ses exercices, parlez-lui sur un ton amical et affectueux.

16. Comme nous l'avons expliqué pour le chiot, vous ne devez jamais interrompre une leçon avant que votre chien n'ait terminé l'exercice que vous lui avez donné à faire. Si néanmoins vous le faites, même une seule fois, vous crée-

rez une habitude d'indiscipline et de désobéissance qu'il vous sera difficile, par la suite, de lui faire perdre.

17. Si vous avez décidé de dresser vous-même votre chien, vous ne devez jamais, au grand jamais, vous faire remplacer au cours du dressage. La personne qui prendrait votre place pourrait faire une erreur qu'il vous serait, par la suite, pratiquement impossible de corriger, le Bullmastiff apprenant une fois pour toutes.

18. Ne faites pas de votre chien un clown en montrant à vos amis ce qu'il sait faire par des exhibitions d'habileté. Ce serait une grande erreur de transformer en jeu ce qui doit être, pour votre chien, un travail.

19. Lorsque vous aurez terminé la leçon de dressage, ne donnez pas tout de suite à boire au chien; attendez qu'il se soit calmé.

20. Après la leçon et avant de le libérer, brossez-le et frottez-lui énergiquement le dos, l'arrière-train et la poitrine avec une serviette destinée à cet usage. Laissez-le se détendre et satisfaire ses besoins physiologiques.

## Le dressage

La première chose à faire lorsque vous décidez de dresser votre chien est d'établir une liste des exercices qui conviennent le mieux à son activité future, c'est-à-dire à la «profession» à laquelle vous le destinez. Vous observerez bien vite que votre Bullmastiff est un animal facile à dresser. Il est très intelligent. Il apprendra vite ses leçons et les mémorisera aisément.

Quoi qu'il en soit, vous avez acheté un chien pour vous faire un ami, mais aussi pour qu'il vous rende certains services. Il sera votre compagnon mais pas votre chien de cirque: entraînez-le donc sérieusement et non pour faire l'amusement de vos amis.

Sachez que vous n'apprendrez absolument rien de nouveau à votre chien: il accomplit déjà tous les exercices mais à son propre avantage; il se couche et s'assied, il saute, attaque, se défend et rapporte des objets.

En fait, lorsque l'on parle de dresser un chien, il s'agit de l'amener à utiliser son savoir, ses aptitudes et ses capacités quand il en reçoit l'*ordre* et non selon son humeur. En d'autres mots, nous exploitons les possibilités du chien à notre profit, pour qu'il nous vienne en aide en cas de besoin, par exemple.

Ne commencez pas le dressage proprement dit avant que votre chien n'ait atteint l'âge de huit mois, et il vaudrait même mieux qu'il en ait neuf. Il faudra attendre son premier anniversaire avant de lui faire exécuter des exercices d'attaque et de saut. Le faire avant cet âge comporte des risques de fractures ou de luxations, son ossature n'étant pas encore suffisamment solide. Consultez votre vétérinaire qui saura vous dire si vous pouvez commencer ou non le dressage en considérant l'état du développement de l'animal.

Comme pour tout autre travail, vous aurez besoin, pour le dressage de votre Bullmastiff, d'une série d'instruments qui vous seront utiles pour la plupart des exercices:
- un collier de cuir;
- un collier en chaînette métallique à nœud coulant;
- un collier clouté;
- un harnais et une laisse à mousqueton d'environ 6 m (20 pi);
- une laisse de dressage en cuir de 1,50 m (5 pi), équipée d'un mousqueton;

- une muselière en cuir à trame serrée;
- un fouet en cuir dur de 1 m (3 pi) de longueur (genre cravache);
- un bâtonnet de 25 à 30 cm (de 10 à 12 po) de long;
- une corde en plastique de 10 m (30 pi) munie de crochets permettant d'en réduire la longueur selon les besoins;
- un vêtement pour l'attaque en toile assez épaisse, rembourré, avec l'intéreur en cuir;
- un revolver tirant à blanc et à forte détonation, mais ressemblant à une arme véritable;
- une brosse;
- un petit grattoir métallique;
- une serviette épaisse et raide;
- un cercle de 80 cm (2,5 pi) de diamètre avec un socle réglable jusqu'à environ 1,50 m (5 pi);
- un obstacle en bois, pour faire sauter le chien, d'une hauteur réglable de 10 cm (4 po) à 1,50 m (5 pi).

Voyons maintenant quel usage vous ferez de ce matériel:

*Le collier métallique à nœuf coulant* peut être soit fixe, soit mobile. Il est utilisé dans les exercices où le Bullmastiff est tenu en laisse, pour le rappeler ou pour lui faire comprendre qu'il a mal exécuté un exercice.

*Le collier clouté* devra être employé avec beaucoup de mesure et de prudence. Il s'agit d'une punition très douloureuse, car le cou est une partie délicate du corps de l'animal. Ce collier ne devrait être utilisé que pour mater un chien agressif, très rebelle ou paresseux qui mérite une bonne punition.

*Le harnais et la laisse à mousqueton* sont utilisés pour les exercices en plein air lorsqu'il s'agit de retrouver quelqu'un. Ils vous permettront de suivre à distance le chien lancé sur les traces de la personne recherchée.

*La laisse de dressage en cuir* est l'instrument de correction au cours des exercices. Elle peut aussi servir de signal pour les exercices à distance.

*Le fouet en cuir* du genre cravache sert à provoquer le chien pendant les premiers exercices d'attaque. Employez-le plus pour le menacer que pour le frapper. Menacé, votre chien réagira vivement et vous le mettrez encore plus en colère en lui donnant quelques légers coups.

*La muselière en cuir à trame serrée* est utilisée avant que votre chien ne soit entraîné à obéir à l'ordre de «lâcher prise». Vous l'emploierez donc dans les premiers exercices d'attaque et de garde d'objets.

*Le bâtonnet* est utilisé pour apprendre au chien à rapporter des objets et à les sortir de l'eau. Vous l'utiliserez également pour lui enseigner le sauvetage de personnes tombées à l'eau.

*La corde en plastique ou en chanvre* est parfois utilisé dans les exercices de recherche de personnes et plus particulièrement dans les exercices où le Bullmastiff doit parcourir de longues distances.

*La chaîne métallique* est utilisée pour les tout premiers exercices d'attaque. Vous pourrez également vous en servir pour attacher votre chien à un poteau ou à un arbre ou pour éviter qu'il n'agresse un soi-disant malfaiteur.

*Le vêtement pour l'attaque* doit être endossé par la personne qui joue le rôle de l'agresseur au cours des exercices d'attaque libre succédant à l'entraînement sans muselière et sans laisse. Ce vêtement servira à protéger «l'agresseur» contre les attaques de l'animal entraîné à devenir un chien de garde.

*Le revolver à blanc* habitue le chien au bruit des détonations et stimule son instinct de garde. Il habitue l'animal, au premier signe de la présence de malfaiteurs, à s'orienter vers l'endroit d'où la détonation est partie.

*La brosse, le grattoir et la serviette* sont nécessaires pour la toilette du chien. Brossez-le à la fin de chaque leçon. Utilisez avec précaution le grattoir: servez-vous-en pour nettoyer sa robe. Frictionnez le poil et la peau du chien avec la serviette. Ces opérations favorisent la circulation du sang, la relaxation des muscles et la détente.

*Le cercle à socle réglable* est utilisé pour donner au chien l'habitude de sauter dans différentes situations. Commencez par lui faire exécuter le saut dans un cercle simple pour en arriver, progressivement, à le faire sauter dans un cercle enflammé.

*L'obstacle démontable et réglable* permet aussi au chien d'apprendre à sauter des obstacles quand les circonstances l'imposent ou lorsque vous le lui demandez.

## Les différents exercices

### *Exercice: la marche au pied*

| | |
|---|---|
| *Les ordres:* | «au pied» et «va». |
| *Le matériel:* | le collier à nœud coulant et la laisse de dressage. |
| *Les punitions:* | pour une erreur légère: «non», d'une voix douce; pour une erreur sérieuse: «pfft», d'une voix sèche et sévère. |

Le but de cet exercice est d'apprendre au chien à vous suivre, quel que soit le parcours, tout en restant à vos côtés, toujours à votre gauche, sans vous dépasser ni rester en arrière. À la fin de cet exercice, votre compagnon saura marcher correctement en laisse sans tirer sur le collier.

Mettez-lui le collier à nœud coulant auquel vous aurez fixé la laisse de dressage. Placez le chien à votre gauche, de telle façon que son épaule soit à la hauteur de votre genou et ses pattes au niveau (plus ou moins) de la pointe de vos chaussures. L'espace entre votre genou et le chien devra être d'environ 10 cm (4 po). Veillez à ce que la ligne de la colonne vertébrale de votre chien demeure parfaitement perpendiculaire à la verticale de votre jambe. Il faudra que le chien s'habitue à marcher droit et qu'il ne prenne pas la mauvaise habitude de marcher obliquement.

Au moment de commencer l'exercice de la marche au pied, tenez la laisse dans votre main droite; votre main gauche doit être près du mousqueton, toujours prête à diriger les premiers essais de votre chien. Votre Bullmastiff qui aura, jusqu'à ce moment-là, toujours été libre de ses mouvements, sera étonné; n'y faites pas attention. Ordonnez-lui: «au pied» afin qu'il prenne la position correcte; ensuite ordonnez-lui: «va» pour commencer la marche. Il est très important, lorsque vous donnez l'ordre «au pied», de vous frapper en même temps la cuisse gauche. Faites un signe de la main qui indiquera le moment du départ en donnant l'ordre «va».

Votre chien commettra quelques erreurs au cours de ses premières tentatives; aidez-le en lui faisant répéter l'exercice, en corrigeant ses erreurs sans vous mettre en colère. Si votre chien s'éloigne de votre genou, corrigez-le en lui faisant recommencer l'exercice le long d'un mur.

## Exercice: assis

L'ordre:                    «assis».
Le matériel:                Le collier à nœud coulant et la
                            laisse de dressage.
Le lieu de l'exercice:      sur la piste.

Cet exercice a pour but d'apprendre au chien à s'asseoir lorsque vous lui en donnez l'ordre. Ordonnez-lui: «au pied», puis: «assis» en appuyant sur sa croupe pour le forcer à s'asseoir tout en lui maintenant le menton dans la bonne position. Apprenez-lui ensuite à répondre aux signaux. Mettez-vous au garde-à-vous et ordonnez-lui: «assis» tout en étendant le bras droit, de façon à former un angle droit avec votre corps. Le chien comprendra rapidement que le bras tendu et l'ordre «assis» ont la même signification.

## Exercice: aboiement sur ordre

Les ordres:                 «aboie» et «assez».
Le matériel:                le collier à nœud coulant et la
                            laisse de dressage.

Attachez votre chien avec sa laisse à un poteau ou à un arbre. Placez-vous devant lui et, avec l'index pointé dans sa direction, donnez-lui l'ordre «aboie» et menacez-le en agitant l'index. Évidemment, le chien ne réagira pas. Éloignez-vous. Le chien ne pourra pas vous suivre puisqu'il est attaché; il protestera en aboyant; il faudra alors vous retourner immédiatement en ordonnant de nouveau: «aboie» tout en agitant l'index. Félicitez-le.

Dès que votre chien répondra sans hésiter, habituez-le à aboyer devant une situation insolite ou un objet étrange.

Apprenez-lui à se taire; pour cela, serrez-lui le museau avec la main droite et répétez sans cesse: «assez». Dès qu'il aura réussi cet exercice, félicitez-le chaleureusement.

## Exercice: appel au pied

*L'ordre:* «viens».
*Le matériel:* le collier à nœud coulant et la laisse de 6 m (20 pi).

Vous avez sûrement déjà habitué votre chien à accourir vers vous dès que vous prononcez son nom. Cet exercice lui apprendra à se placer à côté de votre pied gauche ou devant selon l'ordre que vous lui donnerez.

Pour cet exercice, tenez le chien en laisse. Lancez une pierre, ou un autre objet, loin de vous, mais pas à plus de 6 m (20 pi), et dites-lui d'aller le chercher. Dès qu'il arrivera près de la pierre, donnez-lui l'ordre «viens» et tirez sur la laisse pour l'obliger à revenir. Caressez-le et félicitez-le.

## Exercice: arrête

*L'ordre:* «arrête».
*Le matériel:* le collier à nœud coulant, la longe de 5 m (16 pi) et un sifflet à ultrasons.

Cet exercice est important puisqu'il vous permettra d'empêcher votre chien d'attaquer sans raison. Donnez l'ordre «assis». Placez-vous face à votre chien et, après quelques instants d'immobilité, ordonnez: «viens» en levant le bras. Dès qu'il commence à s'approcher, ordonnez: «arrête» en étendant le bras droit, la paume de la main tournée vers l'avant.

## Exercice: couché

L'ordre:    «couché».
Le matériel:    le collier à nœud coulant et la laisse de dressage.

Ordonnez: «assis» à votre chien, dès qu'il sera en position assise, prenez la laisse de votre main gauche, près du mousqueton qui la fixe au collier et donnez l'ordre «couché». De la main droite, poussez-le par terre pour le forcer à s'étendre, les pattes antérieures allongées en avant, le ventre contre terre et les pattes postérieures repliées.

## Exercice: debout

L'ordre:    «debout».
Le matériel:    le collier à nœud coulant et la laisse de dressage.

Ordonnez: «assis», puis: «couché» et éloignez-vous. Le chien prendra automatiquement la position «debout» pour vous suivre.

Faites de ce désir un ordre. Donnez au chien l'ordre «assis» et, après quelques instants, en restant immobile, ordonnez-lui: «debout». Votre chien devra se lever en soulevant les pattes postérieures, sans bouger de l'endroit où il se trouve. Pour arriver à ce résultat, tenez la laisse de la main gauche, près du mousqueton, et préparez-vous à employer votre pied gauche comme levier, en le plaçant sous le ventre du chien, entre les pattes antérieures et les pattes postérieures. En donnant l'ordre «debout», tirez la laisse vers le haut et poussez du pied le ventre du chien dans la même direction en l'obligeant à se lever.

## Exercice: la marche derrière le maître

*L'ordre:* «en arrière».
*Le matériel:* le collier à nœud coulant, la laisse de dressage et quelques brindilles sèches.

Mettez au chien sa laisse de dressage et donnez-lui l'ordre «au pied», faites-lui exécuter ensuite quelques exercices «assis», «couché» et «debout», puis de nouveau «assis». Demandez à votre compagnon de rester immobile et faites quelques pas jusqu'à ce que la laisse, que vous tenez dans votre main droite, soit tendue derrière vous. À ce moment-là, donnez-lui l'ordre «viens». Votre compagnon voudra prendre la position apprise «au pied», mais à l'aide de quelques brindilles tenues dans votre main gauche, que vous agiterez derrière votre dos sans toucher son museau, empêchez-le d'avancer en lui donnant l'ordre «en arrière».

## Exercice: le saut d'obstacles

*L'ordre:* «saute».
*Le matériel:* le collier à nœud coulant, la longe de 5 m (16 pi), l'obstacle à hauteur réglable.

Placez les planchettes à une hauteur de 40 cm (16 po). Mettez-lui la longe de 5 m (16 pi), faites-lui prendre la position «au pied». Sautez l'obstacle en tirant sur sa laisse et en donnant l'ordre «saute». Votre chien franchira l'obstacle sans problème. Répétez l'exercice. Après lui avoir fait exécuter plusieurs fois l'exercice, ajoutez une planchette pour que l'obstacle ait environ 50 cm (20 po) de haut. Félicitez-le à chaque fois. Lorsqu'il se sera bien familiarisé avec cet ordre et avec cet exercice, faites-le-lui recommencer sans longe et réglez la hauteur de l'obstacle de plus en plus haut selon les capacités de votre chien et sa taille, évidemment. N'augmentez pas la hauteur de l'obstacle tant que votre compagnon n'aura pas sauté avec confiance la hauteur précédente.

## Exercice: le rapport d'objets

| | |
|---|---|
| *Les ordres:* | «rapporte» et «laisse». |
| *Le matériel:* | le collier à nœud coulant, la laisse de dressage et le bâtonnet. |

Commencez par laisser votre animal jouer avec le bâtonnet afin qu'il s'y habitue. Lancez-le ensuite au loin. Votre chien vous le rapportera avec joie.

Reprenez-le et, sans jouer cette fois, donnez l'ordre «au pied» et faites une petite promenade, tout en gardant le bâtonnet dans votre main droite. Arrêtez-vous et faites le geste de l'offrir au chien; quand il voudra le prendre, donnez l'ordre «rapporte» tout en l'approchant de sa gueule.

Quand il aura appris à tenir l'objet dans sa gueule sans votre aide, vous pourrez lui donner l'ordre «laisse» tout en enlevant le bâtonnet de sa gueule et en le caressant pour le féliciter.

# Exercice: la recherche et le rapport d'objets

*L'ordre:*          «cherche et rapporte».

*Le matériel:*    le collier à nœud coulant, la laisse de dressage et le bâtonnet.

Offrez au chien l'objet qu'il devra rapporter, mais ne le lui mettez pas dans la gueule. Tenez-le à distance et augmentez cette distance jusqu'à l'endroit où votre chien devra le ramasser. Dès que votre animal saura comment faire pour rapporter l'objet et qu'il comprendra l'ordre, jetez le bâtonnet au loin et donnez l'ordre «cherche et rapporte». Lorsqu'il l'aura ramassé, donnez l'ordre «viens» et, dès qu'il vous aura rejoint, donnez l'ordre «laisse». N'oubliez surtout pas de féliciter l'animal à chaque exercice bien fait.

# Exercice: la recherche d'objets ou de personnes

Le flair est l'un des sens les plus développés du chien: il lui permet de repérer facilement une présence étrangère près de son habitation.

Certains éléments facilitent cependant la tâche de votre animal:

    a. L'atmosphère fortement humide et le ciel couvert: les odeurs sont plus fortes, et l'évaporation, plus faible.

    b. Un sol plus chaud que l'atmosphère: les courants d'air sont faibles sinon inexistants.

    c. Les endroits où pousse beaucoup d'herbe et les endroits boisés: la végétation agit comme brise-vent.

    d. Les premières heures du jour et celles qui sui-

vent le coucher du soleil, pendant l'été: l'éva-
poration est plus lente.
e. L'odeur de la personne perdue ou en fuite: plus
l'odeur sera forte, plus votre compagnon aura
de la facilité à la retrouver si, par exemple:
• elle transpire;
• elle sent le parfum;
• elle est sale;
• elle est blessée et saigne;
• elle a pris de l'alcool ou des médicaments.
f. La rapidité: plus le temps s'écoule, plus il sera
difficile pour votre animal de retrouver une trace.

Certains éléments rendront par contre la recherche
plus difficile:
a. Un soleil de plomb et de fortes chaleurs.
b. Les pluies torrentielles.
c. Les eaux courantes comme le gué d'un ruis-
seau.
d. Les terres sablonneuses et silicieuses, un sol
sec: le vent emportera des indices de recherche.
e. Les vents forts et les ouragans et, plus particulièrement, les vents secs et venant de l'ouest.
f. Les terres remuées et les sols fraîchement la-
bourés.
g. La neige et le verglas qui recouvrent les traces.
h. L'environnement urbain où toutes sortes
d'odeur se mélangent.
i. Les surfaces très propres.

*L'ordre:*              «va, cherche».
*Le matériel:*          une balle de caoutchouc, du fromage, la longe de 5 m (16 pi), le
harnais en cuir pour la recherche
et une corde de 30 m (100 pi).

Initiez votre chien à cet exercice très tôt, vers l'âge de quatre mois. Profitez des jeux pour lui lancer la balle de caoutchouc afin qu'il vous la rapporte. Au fur et à mesure, compliquez le jeu en lançant la balle dans un lieu caché mais connu du chiot. Passez la balle dans du fromage, faites-la-lui flairer, reprenez-la et faites-la rouler sur le sol pour laisser sur son parcours l'odeur du fromage. Commencez par lui donner l'ordre «va, cherche».

Ensuite apprenez au Bullmastiff à vous retrouver alors que vous vous êtes caché. S'il ne vous trouve pas, appelez-le jusqu'au moment où il découvrira votre cachette.

La prochaine étape consistera à suivre une piste préalablement tracée. Utilisez le harnais et la laisse de 5 m (16 pi). Attachez votre chien à un lampadaire, à un poteau ou à un arbre pour qu'il ne puisse pas vous suivre et faites-lui flairer un morceau de viande. Faites ensuite un parcours en ligne droite et piétinez soigneusement le tracé devant l'animal. Commencez par piétiner une surface d'environ 0,5 m$^2$ (5 pi$^2$).

À la fin du parcours, déposez un objet que votre chien affectionne et retournez auprès de lui. Détachez-le et faites-lui flairer le terrain que vous avez piétiné en lui donnant l'ordre «va, cherche».

Il se mettra à flairer en suivant la piste jusqu'au moment où il trouvera l'objet. Ne manquez pas de le féliciter. Votre élève aura appris à chercher quelque chose dont vous avez besoin.

La deuxième étape de cet exercice consiste à lui apprendre que vous ne cherchez pas toujours la même chose. Demandez à quelqu'un que votre Bullmastiff connaît bien de vous aider un enfant du voisinage, par exemple. Commencez par piétiner une surface de 0,5 m$^2$ (5 pi$^2$) devant le chien avant de tracer une piste. Cette dernière devra être tracée par votre assistant: celui-ci marchera en ligne droite sur une distance de 45 à 50 m (de 150 à 165 pi), puis tournera à droite et à gauche pour se cacher.

L'animal, qui portera son harnais et sa laisse, aura observé l'assistant tout en restant à vos pieds. Ordonnez-lui ensuite: «va, cherche». Vous suivrez, en marchant, la piste tracée par votre assistant. Répétez cet exercice pendant plusieurs jours mais en changeant d'assistant (qui sera toujours une personne que votre élève connaît bien et qui lui est sympathique).

Apprenez ensuite à votre chien à chercher votre assistant, mais sans qu'il ait pu le voir, en vous servant de ses vêtements. Avant de commencer l'exercice, inspectez bien le parcours en y laissant des repères. Demandez à votre assistant de se cacher à peu près un quart d'heure avant que vous n'arriviez sur les lieux. Emmenez votre chien à environ 50 m (165 pi) de sa cachette. Emportez avec vous un des vêtements de votre assistant comme une chaussure ou une chaussette (choisissez toujours un vêtement à l'odeur forte) et faites-le flairer par votre chien durant plusieurs minutes. Ordonnez alors: «va, cherche» en pointant le doigt vers le sol.

Continuez cette leçon, une fois l'exercice précédent réussi, avec un autre collaborateur et des objets différents. Les découvertes de personnes cachées devront être bien récompensées, mais n'oubliez pas que cette récompense ne doit venir que de vous; votre Bullmastiff ne doit jamais rien recevoir de personnes étrangères.

## Exercice: le refus d'aliments donnés par un étranger ou trouvés

L'ordre:                  «pfft».

La méthode la plus employée par les délinquants pour se soustraire au courroux d'un chien de garde est de lui offrir un appât empoisonné afin de se débarrasser de lui. Vous devez donc apprendre à votre Bullmastiff à refuser toute nourriture qui lui serait donnée par un inconnu. Vous aurez besoin de toute votre patience parce que votre chien est insatiable quand on lui offre un aliment qu'il aime; il mangera la nourriture, qu'il ait faim ou non.

Les repas du chien doivent avoir lieu à heures fixes, mais pendant le dressage nous vous conseillons de ne lui donner à manger que le soir afin de ne pas l'alourdir avant ses exercices. Pour mener à bien cet exercice, vous aurez besoin de l'aide de plusieurs de vos amis; choisissez des personnes que votre chien connaît et d'autres qu'il ne connaît pas du tout.

Faites jeûner l'animal une fois par semaine et, quand il est à jeun depuis la veille, amenez-le vers la piste où arrivera un assistant que votre chien connaît déjà. Bavardez et laissez votre ami caresser l'animal. Attachez le chien à un arbre et éloignez-vous pour vous cacher quelque part d'où vous pourrez observer ce qui se passe. Votre ami s'approchera du chien, avec un journal roulé, tout en veillant à laisser une distance de 20 cm (8 po) entre lui et le chien en laisse. Il l'appellera par son nom et lui offrira un morceau de viande vieux de quelques jours. Mais juste au moment où le chien voudra prendre le morceau de viande dans sa gueule, votre assistant devra retirer sa main et donner au chien un coup sec sur le museau et un autre coup sur les pattes avec le journal roulé. Il s'en ira ensuite rapidement. Sortez de votre cachette et dites au chien: «non» et, quand votre ami le frappera, dites-lui: «pfft». Votre ami, en partant, aura laissé tomber le morceau de viande près du chien; ramassez-le, montrez-le-lui et répétez: «non, pfft» tout en lançant la viande loin de vous.

À la leçon suivante, votre Bullmastiff ne devra pas connaître votre assistant. Bavardez avec ce dernier devant le chien. Votre ami sortira de sa poche un aliment qui ne sera pas de la viande, cette fois-ci. Comme dans l'exercice précédent, il offrira cet aliment au chien et le frappera de la même façon. Votre ami partira rapidement en faisant du bruit. Retenez votre chien tout en ordonnant: «aboie, aboie».

Par la suite, faites-lui répéter l'exercice en le laissant en liberté.

## Exercice: le respect de votre mobilier

Votre fauteuil favori ou celui d'un des membres de votre famille sera également le fauteuil favori de votre Bullmastiff. La raison en est que ces meubles gardent les odeurs qui lui sont familières, celles de son maître ou celles des autres membres de la famille qui est, en fait, également sa famille. Il est évident qu'il pensera avoir tout à fait le droit de s'y étendre ou de s'y asseoir comme les autres.

Comment s'y prendre pour le faire changer d'idée? La solution la plus simple pour lui faire perdre cette mauvaise habitude sera de poser sur le fauteuil que votre Bullmastiff préfère un chiffon imprégné d'un liquide spécial que les chiens ne supportent pas. Il sautera sur le fauteuil, reniflera, fera demi-tour et ne recommencera plus jamais.

Vous pouvez aussi tenter de l'éduquer. Dès qu'il sautera sur un fauteuil, ordonnez-lui: «viens», comme vous le lui avez enseigné dans les leçons de dressage; il quittera immédiatement son fauteuil et viendra vous rejoindre. Parlez-lui très sévèrement. Après s'être fait gronder plusieurs fois, il ne remontera plus sur votre fauteuil favori... tout au moins en votre présence! Le problème sera évidemment de l'en éloigner définitivement.

Vous pouvez aussi recourir à une autre méthode:

achetez quelques souricières, placez-les sur «son» fauteuil favori, puis recouvrez-les de quelques feuilles de journal. Dès que votre Bullmastiff sautera sur le fauteuil, une des souricières se fermera avec un bruit sec; effrayé, votre chien sautera du fauteuil. S'il essaie une seconde fois, une autre souricière claquera et votre compagnon aura compris la leçon.

Vous pouvez également le dresser à se rendre au lit quand vous le lui ordonnez: apprenez-lui le mot «lit» en le lui répétant d'une voix sourde et forte et en lui montrant sa couche; faites-le plusieurs fois jusqu'à ce qu'il comprenne. Vous pourrez ainsi toujours l'envoyer se coucher s'il occupe votre place...

## Sous-estimation des capacités de votre Bullmastiff

Ayez confiance en votre Bullmastiff et, s'il lui est parfois difficile d'accomplir les exercices que vous lui imposez, ne le lui reprochez pas trop, agissez avec discernement; pensez à son amour-propre.

## Surestimation des capacités de votre Bullmastiff

Ne poussez pas votre compagnon au-delà de ses limites. En observant attentivement votre Bullma... connaîtrez à la fois ses qualités et ses défauts... exercices lui font horreur, ne le forcez pas à... soyez patient sinon vous pourriez provoq... nerveuses qu'il vous serait difficile d'élimi... Ne le prenez pas pour un Goliath, il e... tout petit David...

# La fin du dressage

Au début de ce chapitre, nous vous disions qu'il serait peut-être préférable d'employer le terme d'apprentissage plutôt que celui de dressage. Maintenant que vous avez terminé cette éducation, vous serez sûrement d'accord avec nous pour dire qu'effectivement vous aviez devant vous un chien à l'état brut, que vous l'avez dégrossi en lui apprenant tout ce qu'un apprenti doit savoir et qu'à la fin de l'apprentissage il est réellement devenu votre compagnon; n'est-ce pas plus juste pour notre Bullmastiff d'utiliser ce terme d'apprentissage plutôt que celui de dressage? Votre chien se considérera comme votre égal, trottinant à côté de vous, fier de sa fourrure bien lisse, vous jetant de temps à autre un regard complice...

# Le Bullmastiff vieillissant

Un jour viendra où vous remarquerez que votre chien n'a plus guère d'intérêt pour la vie sexuelle; il deviendra moins agressif et, même s'il désire toujours participer à la vie de votre famille, ses réactions seront moins vives: il n'aura plus l'agilité et l'énergie de sa jeunesse. Il tombera plus souvent malade et sera plus sujet aux rhumatismes. Le moment de la «retraite» est arrivé, et vous devrez le garder chez vous et le soigner comme le «vétéran» qu'il est devenu. Le vieux chien ressemble beaucoup à un bébé. Déjà, durant sa vie active, il avait un grand besoin d'affection; avec l'âge, ce besoin d'amour ne fait que s'amplifier. Il deviendra un merveil-
~ chien de compagnie.

se pourrait qu'il ne puisse plus se mouvoir seul.
tion à ce problème: un industriel français vient
«Canis-mobile», sorte de chariot monté sur

roues, qui soutient le chien handicapé et qui permet également l'accès aux marches et aux trottoirs; votre compagnon retrouvera ainsi une grande part de son autonomie.

Les vétérinaires interrogés voient dans ce procédé un grand avantage: il permet aux chiens d'avoir une digestion tout à fait normale, à l'encontre des chiens qui doivent se traîner à cause de leur paralysie, ce qui leur cause des blocages d'estomac pénibles. L'industriel français, M. Fradin, précise que l'appareil ne corrige rien. Il aide considérablement le chien dans ses mouvements, mais l'essentiel, c'est qu'il lui permet de faire ses besoins seuls. Ainsi, vous n'aurez plus, à tout moment, à être au service de votre chien handicapé. Ce «Canismobile» peut donc être employé en cas d'immobilisation temporaire, d'une paralysie des membres postérieurs ou de l'arrière-train, d'une hernie discale, etc.

Le fabricant peut, évidemment, construire ce chariot selon la taille du chien handicapé.

Soyez attentif à la santé déclinante de votre chien et n'hésitez pas à vous rendre chez votre vétérinaire pour le faire examiner.

Il n'a plus que vous et votre famille comme environnement; vous aurez à cœur de lui consacrer encore plus de temps et d'attention que jamais. Vous continuerez à faire votre promenade avec lui, mais en marchant plus lentement, chaque mouvement lui étant désormais plus pénible. Il deviendra plus possessif envers son entourage: n'y voyez pas un travers mais une preuve d'amour et acceptez qu'il soit parfois irritable: c'est l'âge...

La chaleur de son regard et sa gentillesse vous dédommageront des efforts que vous faites pour rendre ses dernières années aussi agréables que possible. (En général, un Bullmastiff vit environ de 10 à 12 ans.)

Mais il arrivera un jour où tous les médicaments seront impuissants pour le garder en vie; il vous faudra alors prendre la grave décision de vous séparer de lui pour toujours. Ne vous en occupez pas vous-même, cela vous briserait le cœur; demandez à votre vétérinaire d'agir. À l'aide d'une injection de Penthotal ou de Nembutal, il fera entrer votre Bullmastiff dans un sommeil profond qui le fera passer au néant sans souffrance. Nous ne pouvons vous conseiller d'assister ou non à l'opération; cela dépend de votre sensibilité, de votre lien avec le chien, de votre désir de partager avec lui ses derniers instants...

# La vie sociale du Bullmastiff

Ah! qu'il a l'air triste, vous diront ceux que vous rencontrerez au cours de vos promenades dominicales; ah! qu'il est laid, diront-ils silencieusement de peur que le Bullmastiff ne les entende... Faux, mesdames, faux, messieurs: vous venez de rencontrer un des chiens les plus gais qui soient, un chien qui sème la joie comme l'agriculteur sème le blé, un chien si plein d'entrain qu'il vous arrive de lever les bras en lui disant: «Je n'en peux plus!»

Laid, votre Bullmastiff? Mais savent-ils seulement ce qu'est la beauté? Qu'ils observent donc d'un peu plus près votre molosse et leur avis changera sûrement. Sa prestance rarement inégalée, sa démarche toute en souplesse, son corps parfaitement proportionné ne peuvent que suggérer la beauté.

Vous avez éduqué votre chien dans les règles et il vous a accepté comme maître, ce qui n'est pas facile pour un animal dominateur. Il sait, après son dressage, qui donne les ordres et vous aurez ainsi établi clairement vos rôles respectifs.

Le Bullmastiff est normalement calme, affectueux et très patient avec les enfants. Ce côté positif ne l'empêchera pas d'avoir des réactions d'une grande rapidité et d'un courage à toute épreuve s'il se trouve dans l'obligation de faire son devoir en tant que gardien.

Il agira intelligemment et avec une sûreté qui vous surprendra. Une personne mal intentionnée sera rapidement découragée en voyant votre Bullmastiff en colère, le poil tout hérissé et la queue tournoyante. Cette personne préférera faire demi-tour plutôt que de devoir se mesurer à votre gardien alors que celui-ci donnera tous les signes d'une attaque imminente!

Les bouleversements des dernières décennies dans la vie familiale et l'atomisation de celle-ci ont totalement changé la perspective d'achat d'un chien, et votre Bullmastiff n'échappe pas à cette révolution. Si, il n'y a pas bien longtemps d'ailleurs, le but était de faire travailler son chien soit comme gardien, soit à la chasse ou les deux, la raison principale aujourd'hui est de faire en sorte que le chien fasse partie intégrante du foyer et qu'il vive de façon permanente dans la famille.

Vous êtes peut-être un jeune couple qui a fait l'acquisition d'un Bullmastiff bien avant la naissance de votre premier enfant, ce qui pourra provoquer des problèmes comme nous vous en parlerons dans la prochaine section.

Votre Bullmastiff sera, alors, présent à l'arrivée du bébé et participera, quand l'enfant prendra de l'âge, aux jeux de celui-ci. Il contribuera au développement de sa personnalité et même de son intelligence. Il sera au courant de vos joies et de vos peines, de vos succès et de vos déceptions, et s'y adaptera à sa manière; il vous fera chaud au cœur.

Votre Bullmastiff n'est donc plus seulement celui dont l'amitié vous est précieuse au cours d'une partie de chasse ou quand il joue son rôle de gardien; il s'intègre dans la société et devient une grande source de réconfort et d'affection; nous remarquons là une mutation sociale qui est un véritable phénomène révolutionnaire dans nos mœurs. La famille a un réel besoin du soutien affectif du Bullmastiff et il est tout à fait primordial que son caractère puisse répondre aux besoins de la famille: en résumé, votre Bullmastiff n'est plus seulement celui qui sollicite mais aussi celui qui est sollicité, et quelle tristesse s'il ne peut le faire pour une raison quelconque comme l'agressivité, la peur ou le manque d'adaptation.

Votre Bullmastiff est un chien dont il faut s'occuper et qu'il faut éviter de laisser seul. Faites votre longue promenade quotidienne en marchant à vive allure; laissé seul, il ne se forcera pas à courir pour le seul plaisir de se tenir en forme, non, il passera le plus clair de son temps à dormir. Donc, du mouvement s'il vous plaît! Votre conseiller canin vous donnera toutes les explications voulues et il vous dira quels sont les différents exercices que vous devrez «faire ensemble», sans pour cela devoir vous traîner tous deux au retour.

Vous vous ferez un point d'honneur de le brosser chaque jour pendant une quinzaine de minutes avec une brosse légèrement dure; ce sera suffisant. Vous nettoierez également les plis de sa peau avec un coton imbibé d'eau tiède à laquelle aura été ajouté un peu de bicarbonate.

Observez votre Bullmastiff et vous remarquerez le «cinéma» qu'il fait quand il désire jouer: il vous saluera en abaissant la moitié antérieure de son corps tout en conservant l'arrière-train dressé et mettra ses pattes de devant toutes droites devant lui et vous regardera de ses yeux tristes, peut-être, mais si intelligents, il vous regardera comme s'il voulait vous hypnotiser... le message est clair: et si on jouait un peu, cela nous détendrait, non?

## Le Bullmastiff et les enfants

Vous avez votre chiot Bullmastiff, il est à vous, toutes les formalités sont accomplies. Vous le tenez précieusement dans vos bras et vous vous empressez de le ramener à la maison. Par quoi devez-vous commencer? Lui montrer sa couche? Lui donner à boire? Non, il faut plutôt commencer par lui faire faire connaissnce avec la famille; avec votre conjoint d'abord, puis avec les enfants, tâche extrêmement délicate, sachez-le. Les relations entre votre Bullmastiff et vos enfants dépendront de votre diplomatie et de votre doigté. Vous devez commencer par expliquer aux enfants que ce petit chiot ne gardera pas sa taille actuelle et qu'il deviendra un beau et grand chien. Vous en profiterez pour leur montrer quelques photographies (en couleurs) d'un Bullmastiff adulte.

Ne présentez pas votre chiot aux enfants mais bien le contraire: présentez les enfants à tour de rôle en commençant par l'aîné, comme il se doit. Le Bullmastiff enregistrera très bien les noms des différents enfants; ensuite seulement vous présenterez votre petit Bullmastiff aux enfants en leur disant son nom dont, grâce à sa mémoire, il se souviendra très bien.

Votre Bullmastiff aime tellement jouer avec les enfants qu'il vous arrivera certainement de vous demander s'il n'est pas plutôt un gai luron qu'un gardien: ne vous affolez pas, il est les deux. Voyez-le participer aux jeux que vos enfants lui proposent; il apprend vite et bien et, une fois le jeu bien ancré dans sa tête, il en prendra la direction et sera le meneur à la grande stupéfaction des enfants qui le suivront de gaité de cœur comme vous auriez aimé qu'ils suivent vos conseils à l'heure des devoirs de classe...

Vous expliquerez aux enfants que le nouveau venu n'est pas une boule de poils sur lesquels ils peuvent tirer. Ouvrez bien la gueule de votre Bullmastiff afin de leur montrer ses dents et faites-leur comprendre que celles-ci peuvent faire très mal si on inflige au chien un mauvais traitement, par exemple tirer sur ses oreilles qu'il a sensibles ou essayer de lui arracher des poils. Il est vrai que votre Bullmastiff a une patience d'ange avec les enfants, mais il se pourrait tout de même que... Par conséquent, prévenez-les de ne pas lui faire du mal (exagérez même un peu). Enseignez-leur, s'ils sont petits, à ne pas avaler de poils...

Profitez du moment des présentations pour apprendre à vos enfants à respecter les animaux; ils s'en souviendront et cela leur servira certainement un jour dans la vie!

Expliquez-leur que la queue du Bullmastiff n'est pas un cordon de sonnette sur lequel on peut tirer et qu'ils ne pourront jamais en faire une corde à sauter...

Votre Bullmastiff s'intégrera sans difficulté dans votre famille, vous n'aurez aucun effort à faire, cela se fera tout naturellement et votre compagnon saura «voir». Il acceptera toujours de jouer avec vos enfants, à condition bien sûr qu'il ne soit pas brutalisé, mais sa taille et sa prestance seront une barrière solide contre toute mauvaise conduite et les mignons apprendront rapidement à se conduire correctement avec leur «copain».

La situation ne changera pas si vos enfants reçoivent la visite de leurs amis; il se pourrait, au début, que votre Bullmastiff se méfie, mais voyant la complicité s'établir entre les enfants, il acceptera les petits amis sans autre façon.

Un enfant taciturne et renfermé trouvera un réconfort psychologique auprès d'un Bullmastiff calme et bon qui le regardera de ses yeux tristes et bienveillants.

Les études entreprises depuis 1970 au laboratoire de psychophysiologie de la faculté des sciences de Besançon (France) par le professeur Hubert Montagner prouvent encore plus l'importance de la communication non verbale entre le chien et l'enfant. Cette forme de communication peut permettre à un enfant perturbé, isolé ou même rejeté par ses frères et sœurs dans le milieu familial de se sentir en sécurité. Le sentiment d'apaisement apporté par le chien joue un rôle capital dans le développement social de l'enfant. Le Bullmastiff est idéal pour jouer ce rôle.

Si vos enfants aiment l'aventure, s'ils sont turbulents, ils trouveront dans le Bullmastiff un compagnon qui saura refréner les exubérances, calmer les esprits et modérer tout esprit d'aventure exagéré. Votre chien les surveillera puisque vous lui avez en donné l'ordre, et un ordre du maître est parole d'évangile...

Mais que faire si la famille est sur le point de s'agrandir et que votre Bullmastiff est déjà bien installé dans la maison? La vie du chien sera bouleversée quand le bébé reviendra dans les bras de sa mère, prendre sa place dans la maisonnée. Vous serez obligé d'interdire certaines libertés au chien et vous aurez moins de temps à lui consacrer.

Ces restrictions cependant ne doivent pas coïncider avec la naissance du bébé. Vous y penserez à l'avance et apprendrez en conséquence à votre Bullmastiff à garder sa place de chien et non à se comporter comme un bébé. Si vous n'agissez pas ainsi, votre Bullmastiff croira que l'on cesse de le dorloter comme un enfant gâté parce qu'un bébé a pris sa place. Une certaine animosité pourrait s'établir, qui serait difficile à dissiper. Tenez compte que le Bullmastiff est un chien dominateur et qu'il supportera encore moins bien cette situation que les races qui sont dominées; soyez donc prévoyant et organisez-vous longtemps à l'avance.

Avant l'arrivée du bébé à la maison, donnez à votre Bullmastiff un vêtement porté par l'enfant afin qu'il se familiarise avec cette nouvelle odeur: ne changez pas votre façon de faire puisque vous aurez suivi nos conseils de lui donner sa place de chien au sein de la famille. N'oubliez pas de caresser également votre chien quand vous êtes avec votre bébé; parlez-lui comme avant afin qu'il ne développe pas une jalousie qui n'est déjà que trop naturelle et une rivalité chien-bébé que vous devez éviter.

## Ce que l'enfant devra vaincre

Votre enfant devra pouvoir surmonter son instinct naturel de peur devant cet animal de taille imposante doté d'un faciès assez spécial et fort impressionnant et à qui il arrive aussi d'avoir des mouvements rapides pouvant effrayer l'enfant. Montrez à ce dernier que votre Bullmastiff est un chien gentil et, s'il le faut, rappelez-le-lui aussi longtemps qu'il aura un recul devant l'animal. Votre enfant devra aussi s'imprégner du fait que le Bullmastiff, malgré son air puissant, est bien un être vivant et non un robot mécanisé dont on peut faire usage au gré de ses fantaisies. Faites comprendre à l'enfant que le chien voudra toujours être «de la partie» et qu'il l'affirmera par sa présence. Bien que le Bullmastiff soit un chien raisonnable, l'enfant pourrait entraîner son compagnon à «déraisonner». Expliquez-lui qu'il ne doit pas apprendre au chien à faire des actions défendues; il serait étonnant qu'il y parvienne, mais mieux vaut prévenir que guérir...

Votre enfant devra vaincre aussi une compassion mal placée qui le conduirait à gaver son compagnon de sucreries. Expliquez-lui que le Bullmastiff a les dents sensibles et que cela gâterait sa denture comme cela abîmerait celle de l'enfant lui-même s'il suçait sans arrêt des bonbons. Informez votre enfant que les prothèses dentaires pour chiens ne sont pas encore au point! Votre enfant comprendra et acceptera, mais surveillez néamnoins le débit du sachet de sucreries: le chien est fort capable de prendre un air malheureux pour se faire offrir par l'enfant le bonbon défendu bien que le Bullmastiff ne soit pas trop friand de sucreries et que la gourmandise ne soit pas un péché capital pour lui.

Votre Bullmastiff est un chien qui sait ce qu'il veut; enseignez cela clairement à votre enfant afin qu'il n'essaie pas de le forcer à accomplir des choses qu'il a décidé de ne pas faire.

## Ce que l'enfant devra accepter

Vous devez commencer par expliquer à l'enfant que votre Bullmastiff n'aime pas recevoir des coups et qu'il est un être respectable; l'enfant devra accepter de ne pas se défouler sur lui, ce qu'il pourrait bien essayer de faire, ne voyant pas de réactions de la part du «martyrisé». Le Bullmastiff ne réagit pas pour deux raisons principales: d'abord, il est très résistant à la douleur, puis sa bienveillance est proverbiale. Vous enseignerez également à l'enfant que les oreilles du Bullmastiff sont faites pour écouter et non pas pour être tirées.

Vous expliquerez encore que votre Bullmastiff n'a pas à supporter de sévices, sous prétexte d'affection. Faites croire à l'enfant que le Bullmastiff est capable de réactions très vives; ce ne sera pas entièrement un mensonge, sachez-le. Apprenez à l'enfant à ne pas déranger le Bullmastiff quand celui-ci boit ou mange; aucun chien n'aime cela, pas plus que les humains, n'est-ce pas?

Vous ferez également comprendre à l'enfant, sans pour autant lui donner un complexe de supériorité, que sa position sociale est supérieure à celle de son compagnon; l'explication sera délicate et difficile du fait de l'imposante stature du Bullmastiff qui incite au respect.

## Comment enseigner à un enfant à bien se conduire avec un Bullmastiff

L'une des meilleures méthodes préconisées est de faire participer l'enfant aux exercices les plus importants du dressage. Apprenez-lui les ordres simples que le Bullmastiff acceptera de lui, sans façon; ils apprendront ainsi à se respecter mutuellement. Votre enfant a besoin d'affection, votre chien aussi: ils peuvent satisfaire ensemble ce besoin en se faisant guider par les parents ou par les maîtres.

Profitez de vos promenades avec votre Bullmastiff pour emmener l'enfant et lui faire répéter les leçons apprises pendant le dressage; rappelez-lui qu'un ordre inconsidéré ne sera jamais suivi d'effet: il apprendra ainsi que le Bullmastiff sait quand un ordre est bien donné!

Malgré sa stature, votre Bullmastiff est un chien délicat avec sa famille; apprenez à votre enfant à être délicat avec le chien; il fait, lui aussi, partie de la famille; vous remarquerez rapidement combien votre Bullmastiff en est heureux; un véritable concours de délicatesse aura lieu entre l'enfant et le chien.

Ces leçons de dressage ne sont pas du temps perdu et vous remarquerez que l'enfant apprend beaucoup de choses sur lui-même en vivant auprès du Bullmastiff.

## Le Bullmastiff et les amis

Vous aimez fort vos amis qui viennent vous rendre visite? Alors votre Bullmastiff les aimera fort... Vous les aimez moyennement? Alors il les aimera moyennement.

Vous avez compris? C'est fort simple: il aimera vos amis avec la même intensité que vous, et comme ce sont toujours des amis que vous invitez, il se conduira chaleureusement envers eux; il adore d'ailleurs recevoir de la visite, à se demander parfois si vous êtes chez vous ou chez votre compagnon...

Quant aux amis, la première fois qu'ils rencontreront votre Bullmastiff, ils ne se sentiront pas tout à fait rassurés; en effet votre chien est très impressionnant. Mais quand ils commenceront à le connaître, ils seront enchantés et profiteront de votre invitation pour s'amuser avec lui!

N'oubliez pas de faire les présentations, votre Bullmastiff est trop bien élevé pour engager la conversation avant que ce ne soit fait.

## Le Bullmastiff et les autres animaux

Vous éviterez de mettre en présence votre Bullmastiff et un autre chien de la même stature: votre compagnon n'admet pas la présence d'un autre chien dominateur dans votre, dans «sa» propriété. Si le chien est petit, jeune et de tempérament à être dominé, votre Bullmastiff se contentera de grogner son mécontentement mais ne l'attaquera pas. Quoi qu'il en soit, vous avez compris qu'il vaut mieux qu'il soit le seul représentant de la race canine de la maison, sa nature l'empêchant de s'accorder parfaitement avec quelque chien que ce soit. Ne pas suivre ce conseil peut avoir pour conséquence une bataille sanglante dont votre Bullmastiff «devra» sortir vainqueur puisqu'il lui est impossible d'envisager la défaite.

Il va sans dire qu'il y a toujours des exceptions à la règle et que vous avez peut-être hérité d'un Bullmastiff «aux idées larges»...

Par contre, votre Bullmastiff n'aura pas de problème avec les autres animaux domestiques ni, curieusement, avec le chat qu'il aime bien; il lui permettra des privautés qu'il n'accorderait pas, par exemple, au lapin ou à tout autre animal domestique; soyez prudent.

Trois générations de Bullmastiffs...

# La reproduction

Les loups, vivant entre eux, parviennent à garder leur race pure. Par contre, les chiens, et parmi eux le Bullmastiff, amenés à rencontrer d'autres races canines au gré de leurs promenades, doivent être surveillés de près.

Vous devrez surveiller très attentivement les reproducteurs directs et tenir compte de leur généalogie, afin d'être certain d'assurer la continuité des caractéristiques anatomiques de la race et de rejeter les chiens qui présentent des défauts.

Il a souvent été affirmé qu'un premier accouplement avec un chien bâtard influence les mises bas suivantes et que la chienne mettra à nouveau bas des bâtards même si elle est accouplée par la suite avec un Bullmastiff de race pure. Ce n'est pas exact: aucun argument scientifique ne vient prouver cette assertion qui ne repose que sur des croyances populaires.

Ce qui est vraiment problématique, c'est l'atavisme (l'hérédité éloignée). Il s'agit là d'un problème pratiquement impossible à résoudre. En effet, même en choisissant très consciencieusement les reproducteurs, les chiots peuvent présenter des caractéristiques que vous ne pouviez absolument pas prévoir. Ils peuvent n'avoir ni la même intelligence ni le même caractère que leurs parents sans qu'il soit possible d'en connaître les causes.

Il est donc nécessaire de bien connaître les antécédents d'un chien de race avant l'accouplement. On ne doit pas s'en tenir aux caractéristiques des parents mais essayer de remonter de quelques générations. Prenez un maximum de précautions tout en sachant que vous pourriez quand même avoir des surprises.

Par ailleurs, méfiez-vous d'une consanguinité excessive qui pourrait donner lieu à des phénomènes de dégénérescence.

En résumé, sachez qu'il serait dommage, sous prétexte qu'elle satisfait ses instincts naturels, de laisser votre Bullmastiff femelle produire une nouvelle génération dans n'importe quelles conditions.

## La présentation

La chienne a ses premières chaleurs entre 8 et 12 mois et elle atteint son aspect définitif d'adulte à environ 10 mois. Mais il n'est pas bon de la laisser avoir une portée à cet âge, la consolidation de son squelette n'étant pas terminée. Il vaut donc mieux attendre ses deuxièmes chaleurs, ou même ses troisièmes, pour la «présenter» à un mâle.

Ses chaleurs reviennent, en général, tous les six mois. Ces périodes peuvent varier, légèrement, selon chaque chienne. Lorsque la vôtre sera en chaleur, elle deviendra nerveuse, boira plus que de coutume et perdra l'appétit; ses organes génitaux sécréteront un liquide un rien sanguinolent, à l'odeur très particulière, qui mettra le mâle à l'affût.

Certains Bullmastiffs femelles peuvent refuser de s'accoupler avec un mâle. D'autres auront des préférences et peut-être même des exclusivités pour un certain mâle, qu'il soit de race ou bâtard. Dans ce cas, il faudra faire exciter la chienne par le prétendant qu'*elle* a choisi avec toutes les précautions nécessaires pour éviter une saillie, et lui présenter aussitôt le mâle que vous aurez choisi pour elle en fonction de ses qualités. En général, la femelle tolère la présence du mâle une dizaine de jours après les premiers symptômes des chaleurs.

L'accouplement devra avoir lieu dans un endroit tranquille, dans l'intimité. Laissez faire la nature si l'accouplement se prolonge, n'essayez pas de séparer les chiens; vous pourriez provoquer une déchirure du vagin.

Dès que votre Bullmastiff femelle est fécondée, ses chaleurs s'arrêtent. Si celles-ci durent plus de deux jours après l'accouplement, essayez une deuxième saillie. Il est conseillé, si vous ne désirez pas que votre chienne soit fécondée, de lui administrer un contraceptif afin d'empêcher l'ovulation ou d'éviter les chaleurs. Demandez conseil à votre vétérinaire.

La période des chaleurs est assez longue, et vous devrez veiller à ce que la femelle ne s'accouple pas avec n'importe quel mâle. Il pourrait y avoir une fécondation supplémentaire, et votre chienne vous doterait d'une portée hétérogène si les pères n'étaient pas tous de la même race.

Si votre Bullmastiff s'est accouplée avec un mâle «douteux», vous pourrez éviter la fécondation en lui injectant dans le vagin de l'eau vinaigrée (à raison de 25 ml (5 c. à thé) de vinaigre pur par litre (pinte) d'eau.

Le sort peut faire que votre chienne soit totalement indocile: il deviendra alors nécessaire de pratiquer l'insé-mination artificielle. Il s'agit d'un procédé très simple qui peut être pratiqué par votre vétérinaire. Cette insémination artificielle est, en général, une réussite complète.

## La gestation

Si tout s'est déroulé normalement au cours de la «présentation», il ne vous reste plus qu'à attendre, en laissant faire la nature. Sauf complications exceptionnelles, la gestation suivra son cours normal. Elle dure, chez le Bullmastiff, de 62 à 64 jours, soit environ 9 semaines.

La gestation pourrait s'interrompre entre le cinquante-huitième et le soixante-cinquième jour selon l'âge de la mère, son mode de vie, sa santé et le nombre de chiots de sa portée. La maternité est une période particulière dans la vie du Bullmastiff femelle. Les premiers symptômes se manifesteront d'un mois à cinq semaines après l'accouplement. Avant cette période, il est difficile d'établir s'il y a eu fécondation.

Mais si vous observez bien votre chienne, il y a des signes qui ne trompent pas. Elle commencera par se désintéresser de sa nourriture: elle manquera d'appétit. Elle aura des nausées suivies de vomissements. Son comportement sera instable. La nuit, elle rêvera, faisant surtout des cauchemars qui la feront gémir comme si elle appréhendait quelque chose, comme si elle avait peur. Sa façon d'agir, ses manières se transformeront de façon de plus en plus évidente à mesure qu'elle avancera dans sa grossesse.

Si vous désirez absolument savoir si votre chienne a été fécondée, procédez à un test chimique qui a pour but de vérifier le fonctionnement hormonal, semblable à celui de Friedman sur les lapines. Mais même si le résultat est positif, rien n'est encore certain, car il peut s'agir d'un cas de grossesse nerveuse.

Votre bon sens vous fera comprendre ce que la chienne doit ou ne doit pas faire pendant son état gravide. Évitez de la fatiguer et faites cesser tous les exercices violents auxquels elle était habituée. Plus de sauts, plus de courses excessives, mais ne négligez pas les promenades quotidiennes qui maintiendront la chienne en forme sans pour autant la fatiguer ni la surmener. Ces promenades sont essentielles pour votre Bullmastiff femelle.

Au fur et à mesure que les fœtus se développeront, la chienne grossira et deviendra paresseuse; elle sera fatiguée et voudra s'étendre de plus en plus souvent. Ne la dérangez pas, laissez-la faire, mais n'oubliez pas ses promenades. Vous observerez un affaissement de la région lombaire et un développement tout à fait normal des mamelles. Son ventre grossira progressivement. Votre chienne aura besoin de votre affection, de votre attention et de votre compréhension; soyez patient avec elle et fermez les yeux si elle est désobéissante. Pas de sévérité mais de la gentillesse, et, surtout, ne la laissez pas trop souvent seule: elle a besoin de se sentir entourée «des siens». Veillez avec encore plus d'attention à sa propreté. Prenez garde aux parasites comme les poux, par exemple. Pendant l'hiver, sortez-la le moins possible et protégez-la au maximum, à l'intérieur de la maison, du froid et de l'humidité.

Occupez-vous d'elle mais dans les limites du raisonnable: il ne faut pas en faire une chienne trop gâtée alors qu'elle peut très bien surmonter certaines difficultés. N'oubliez pas que la nature a fourni à votre chienne tous les moyens pour mener sa gestation à terme. Soyez présent, mais ne soyez pas trop faible avec elle; aidez-la, mais laissez faire la nature.

Pendant sa gestation, il faudra faire très attention à son alimentation. Les aliments devront être plus riches afin de compenser l'accroissement de ses besoins. Augmentez le nombre de ses repas tout en réduisant les quantités. Les deux repas traditionnels que l'on donne normalement à un Bullmastiff ne sont pas de mise pendant la gestation. Un repas trop copieux pourrait peser sur ses flancs qui sont déjà alourdis par le gonflement des mamelles et par la présence des futurs bébés. Augmentez la quantité de lait jusqu'à un litre (une pinte) par jour. Donnez-lui du lait entier. Son régime devra être composé de riz, de légumes verts et de viande fraîche; ajoutez, une fois par semaine, un œuf entier et deux jaunes. Trois ou quatre repas quotidiens remplaceront donc les deux repas habituels. Vous les compléterez avec de la farine lactée, de la poudre d'os, du calcium et du phosphore.

Vous veillerez à faire attention à ce que l'eau de son écuelle soit changée souvent et reste bien propre. Cette eau ne devra jamais être trop froide ni trop chaude; la chienne appréciera l'eau propre et tiède.

Vous pouvez provoquer des difficutés à la mise bas si vous lui donnez une alimentation trop grasse et trop copieuse. Ajoutez au régime de votre chienne des substances destinées à fortifier les os des chiots et à raffermir ceux de la mère. Si votre Bullmastiff manifeste un manque d'appétit persistant, adressez-vous sans tarder à votre vétérinaire; il vous indiquera ce qu'il y a lieu de faire.

Vous remarquerez, au fur et à mesure de l'évolution de sa gestation, que votre chienne ne voudra plus être dérangée par des inconnus ou par d'autres chiens.

Une quinzaine de jours avant la fin de la gestation, vous devrez trouver un endroit où elle mettra bas. Préparez-lui sa couche. N'attendez pas trop; habituez la chienne à sa nouvelle demeure. Elle n'en cherchera pas une autre, si vous vous y prenez à temps. Habituez-la à y prendre ses repas; qu'elle s'y repose le jour et la nuit.

Veillez à ce que cet endroit soit tranquille et pas trop clair. La couche doit être légèrement surélevée afin de faciliter l'écoulement des liquides. Un simple panier à chien fera l'affaire.

Emmenez votre chienne plusieurs fois chez le vétérinaire de manière à faire vérifier son poids, son état de santé et ses besoins en vitamines et en calcium.

## La naissance

Tout à la fin de la gestation, les mamelles gonflées de votre chienne sécréteront un liquide semblable à du lait, le *colostrum*. Elle deviendra inquiète et préférera rester seule. La tranquillité et le silence lui seront nécessaires et bénéfiques. Les visites d'amis devront être évitées et la «future maman» ne devra pas s'apercevoir de votre surveillance. Ne vous approchez pas trop d'elle.

Surveillez le déroulement de l'opération et, en cas de complications, n'hésitez pas à appeler immédiatement votre vétérinaire. Lui seul a les compétences pour y trouver les solutions appropriées.

La première mise bas est, en général, plus délicate que les suivantes. Il arrive parfois, et surtout la première fois, que la chienne oublie ou néglige de couper le cordon ombilical avec ses dents. Vous devrez alors intervenir en le coupant avec des ciseaux, le plus près possible du ventre, après l'avoir lié avec un fil de soie pour éviter que le chiot ne soit victime d'une hémorragie.

Comme vous avez pu le constater, votre présence est nécessaire pendant la mise bas de la chienne, même si vous laissez faire la nature. Ne l'énervez surtout pas et ne la dérangez uniquement qu'en cas de besoin réel.

Lorsqu'elle aura mis bas, laissez votre chienne se reposer et faire la toilette complète des chiots. En hiver, pensez à chauffer «son coin» afin qu'il soit bien confortable pour elle et pour les nouveau-nés. Laissez-la se reposer une journée auprès de ses petits, puis faites-lui reprendre progressivement son rythme de vie antérieur. Commencez par lui faire faire une promenade afin qu'elle fasse travailler ses muscles.

## Les chiots

À la première mise bas, la portée est de 10 à 14 chiots. Les petits chiens naissent avec les yeux fermés. Vous devrez attendre une dizaine de jours avant qu'ils ne les ouvrent.

Vous devrez malheureusement sacrifier certains de ces chiots. À la première mise bas, la mère ne pourra s'occuper que de trois chiots. Éloignez définitivement de la mère les chiots les moins bien formés et ceux qui ont l'air apathique. Ce sacrifice, bien que très difficile, est absolument nécessaire pour la santé de la mère et pour la qualité de la portée. Les gestations suivantes vous permettront peut-être de garder toute la portée. Mais là encore, ne gardez pas les chiots manifestement mal formés; éliminez-les immédiatement.

Pratiquer l'euthanasie vous sera probablement pénible: demandez plutôt à votre vétérinaire de s'en occuper. La meilleure façon demeure l'injection d'un anesthésique très puissant; ainsi l'intervention sera rapide et indolore. Ne choisissez pas la noyade, il s'agit là d'une méthode cruelle et sauvage.

Vous devrez retirer les chiots sacrifiés pendant que la mère fera sa promenade.

La chienne s'occupera elle-même de ses petits, mais soyez toujours aux aguets, prêt à intervenir pour l'aider, surtout s'il s'agit d'une première portée.

# L'allaitement

Les chiots trouveront d'instinct les mamelles sous le ventre de leur mère; elles sont très saillantes. Seul le lait maternel convient aux besoins nutritifs des bébés chiens. Le colostrum purgera les chiots et sera pour la chienne le moyen de leur transmettre ses anticorps naturels qui les protégeront contre les maladies des «premiers jours».

Ce colostrum est indispensable aux chiots: les statistiques révèlent qu'environ 85 p. 100 des nouveau-nés qui n'ont pas pour une raison quelconque reçu de colostrum meurent rapidement.

Il se pourrait que la chienne soit intolérante avec ses petits, ce qui pourrait nuire à leur croissance. Dans ce cas, consultez votre vétérinaire qui prescrira de légers calmants, cette intolérance étant due à une hypernervosité. Si l'intolérance se transforme en aversion déclarée, vous devrez alimenter les chiots artificiellement. Ce n'est que dans ce cas, ou dans celui, bien sûr, d'une mauvaise lactation, que vous pouvez alimenter les chiots. Ce n'est pas facile, et rien ne dit que vous y parviendrez. Vous devrez préparer un lait ressembant au lait maternel, sinon les bébés, désorientés, le refuseront. Le poids du petit double normalement en moins de 10 jours, preuve de la richesse du lait maternel. Faites-vous conseiller par votre vétérinaire. Il vous indiquera peut-être une préparation que vous trouverez toute faite sur le marché ou qu'il composera lui-même. Quoi qu'il décide, suivez ses directives.

# Le sevrage

La période de sevrage se déroule progressivement. Elle correspond à peu près à la fin de l'allaitement, qui devient de plus en plus douloureux parce que les bébés commencent à avoir leurs dents de lait. La mère devient impatiente quand les petits viennent se nourrir. Elle commence à les éduquer elle-même en leur présentant sa propre nourriture que les chiots essaient de laper.

Cette période est psychiquement difficile pour les chiots: ils commencent le dur apprentissage de la séparation d'avec la mère. Ce passage à la vie adulte devra se faire dans les meilleures conditions possibles. Le sevrage complet se fait à deux mois et demi ou trois mois.

Trouvez le moyen de séparer les chiots de la mère une partie de la journée afin que leur instinct de téter diminue. Si les petits rencontrent la mère seulement aux repas, cela leur permettra de prendre des habitudes bien réglées.

Offrez aux chiots des jouets non toxiques pour qu'ils puissent mordre dedans. Commencez par leur donner de la viande hachée afin qu'ils s'habituent à manger des aliments solides. Ne leur donnez surtout pas de lait de vache. Certains petits Bullmastiffs peuvent avoir tendance à se gaver; ne les laissez pas faire. La digestion à cet âge étant encore délicate, vous leur éviterez ainsi des ennuis gastriques.

N'oubliez pas de bien les garder au chaud. Il ne faudrait surtout pas qu'ils prennent froid; évitez de les placer ou de les laisser dans les courants d'air.

# Le pense-bête

# Le carnet de santé

Il est indispensable de tenir à jour le carnet de santé de votre Bullmastiff. Ce carnet est généralement remis par votre vétérinaire ou par l'éleveur, si c'est lui qui s'est occupé de la vaccination.

Que devez-vous y inscrire? Les dates importantes de la vie de votre Bullmastiff ainsi que les renseignements dont il peut être utile de se rappeler.

- le nom, la date de naissance et les signes particuliers;
- le nom de ses parents, sans oublier le nom et l'adresse de l'éleveur qui vous l'a vendu;
- les dates où il a reçu des vermifuges ainsi que le nom des produits administrés;
- les dates des rappels;
- les dates des maladies ainsi que le nom des médicaments reçus;
- la date du dressage;
- les dates des saillies, des mises bas et de l'allaitement.

# La boîte
# de médicaments

Il est très important que vous ayez en tout temps sous la main une boîte de médicaments que vous garderez toujours bien fermée. N'oubliez pas de l'emporter avec vous lorsque vous emmenez votre chien en voyage.

Cette boîte de médicaments devrait contenir:

- un thermomètre anal et un lubrifiant;
- du sparadrap et de la gaze pour les bandages;
- un médicament contre les brûlures qui aura été prescrit par votre vétérinaire;
- de l'acide borique ou du collyre pour les bains oculaire;
- du kaopectate contre la diarrhée;
- des sels d'ammoniaque pour le traitement des chocs;
- de la poudre de moutarde ou du sel de table comme émétique;
- du charbon de bois actif comme contrepoison

(mais, le cas échéant, appelez aussitôt que possible un vétérinaire);
- un laxatif assez léger comme le lait de magnésie.

# Le voyage

Vous planifiez un voyage et vous voilà en train de discuter avec vos proches au sujet des difficultés reliées à la présence de votre Bullmastiff. Vous vous trouvez devant plusieurs possibilités: la première serait de le laisser sur place, et vous auriez alors à décider entre le laisser à la maison, le laisser chez des amis ou le mettre en pension; la deuxième possibilité serait de l'emmener avec vous: vous auriez alors à choisir le moyen de transport: voiture, train, autobus, bateau ou avion.

Quelle que soit votre décision, sachez qu'il est préférable de laisser votre chien à la maison sous la garde d'amis: nous vous rappelons qu'il vaut mieux que ces amis soient des gens qu'il connaît parfaitement. Si vous décidez de le mettre en pension, que ce ne soit que pour quelques jours et seulement après lui avoir fait connaître les lieux et les propriétaires avec lesquels il sera en contact quotidien.

## Vous le laissez à la maison

La personne qui viendra s'occuper de votre Bull-mastiff devra être quelqu'un que votre compagnon connaît bien. Elle devra, évidemment, dormir chez vous. Mais il ne faudra pas s'étonner que votre chien, se croyant abandonné par son maître, montre sa mauvaise humeur en se soulageant un peu partout dans la maison au lieu de faire ses besoins là où il en a l'habitude. Vous devrez prendre cette décision en tenant compte du caractère de l'animal et de ses relations avec la personne qui viendra s'occuper de lui.

## Vous le laissez chez des amis

Dans ce cas également, il faudra que l'animal connaisse parfaitement bien les personnes qui vont l'héberger. Vous apporterez dans sa demeure provisoire des objets ayant gardé vos odeurs, qui lui sont familières, ainsi que ses jouets préférés. Il serait bon de l'y emmener «en visite» plusieurs fois avant de l'y laisser. Quoi qu'il en soit, que vous le laissiez à la maison ou que vous le laissiez chez des amis, il est recommandé que ce ne soit pas pour une trop longue période: votre Bullmastiff vous en voudrait. Prévenez vos amis: le chien pourrait faire ses besoins un peu partout pour montrer qu'il n'aime pas être éloigné de son maître.

## Vous le mettez en pension

Visitez plusieurs pensions avant de prendre une décision. Assurez-vous que les animaux n'y sont pas trop nombreux. Visitez les locaux afin de vérifier s'ils sont propres. Observez le travail du personnel. Contrôlez la qualité de la nourriture. Le prix est également à considérer, mais vous devez tenir compte du fait que ce ne sont pas toujours les pensions les plus chères qui sont les meilleures. Renseignez-vous auprès de la direction pour savoir si les visites d'un vétérinaire sont prévues. Demandez à des amis qui ont aussi des chiens quelles ont été leurs bonnes et mauvaises expériences.

Avant de vous décider, consultez, en dernier ressort, votre vétérinaire attitré; d'ailleurs, s'il habite hors de la ville, il pourrait peut-être vous proposer d'héberger votre Bullmastiff. Vous aurez à présenter le carnet de vaccination qui devra être à jour, et cela dans quelque pension que ce soit. Pour votre tranquillité, faites passer une examen général à votre animal chez votre vétérinaire avant de le mettre en pension. Assurez-le et, s'il ne l'est pas déjà, faites-le tatouer: il pourra ainsi toujours être identifié s'il s'échappe ou se perd.

## Vous l'emmenez avec vous

C'est décidé, il vous accompagne. Vous voyagerez en voiture, en train, en autobus, en bateau ou en avion.

### En voiture

Votre Bullmastiff devra voyager à l'arrière de la voiture et être isolé par un filet ou un grillage.

Ne l'enfermez jamais dans le coffre de la voiture, il en souffrirait, autant physiquement que moralement. Si vous emmenez un chiot, il se pourrait qu'il soit sujet à des vomissements. Ne le laissez pas voyager le ventre plein; faites en sorte qu'il ait bien digéré au moment du départ. Il est également préférable de ne pas lui donner à boire avant de partir.

Si votre animal est sujet au mal de voiture, vous

pouvez lui donner un médicament une demi-heure avant le départ. Consultez votre vétérinaire à ce sujet.

Le chien aime passer la tête par la vitre; ne le laissez pas faire: il risque une conjonctivite.

Vous devrez vous arrêter souvent pour qu'il puisse faire ses besoins et se «dégourdir les jambes». Arrêtez-vous à l'écart de la route afin qu'il puisse courir sans danger.

Si vous laissez votre Bullmastiff dans la voiture, stationnez-la à l'ombre et laissez les vitres entrouvertes.

## En train

Votre Bullmastiff n'a pas le droit de vous accompagner dans votre compartiment. Il devra voyager dans la voiture à bagages. Vous devrez le mettre dans une cage ou, du moins, lui mettre une muselière et une laisse. Vous aurez un coupon spécial qui vous permettra, à tout moment, de lui rendre visite et de le nourrir. Les compagnies de chemin de fer mettent à la disposition des animaux le nécessaire afin qu'ils puissent faire leurs besoins.

## En autobus

Avant de partir en voyage, renseignez-vous bien pour savoir si la compagnie de transport accepte les chiens et dans quelles conditions. Insistez, pour ne pas avoir de mauvaises surprises au moment du départ, sur le poids et la taille de votre compagnon.

## En bateau

Mêmes dispositions qu'en autobus. Ayez toujours sur vous un certificat de bonne santé de votre animal. Il est préférable que ce certificat soit récent.

## En avion

Pratiquement toutes les compagnies aériennes acceptent de transporter les animaux domestiques. Prenez-vous-y à temps, les places sont limitées. Les chiots peuvent parfois voyager en cabine avec leur maître, mais cela n'est pas une règle générale: renseignez-vous avant de partir. Généralement, le chien doit voyager dans la soute de l'avion. Ne vous inquiétez pas, celle-ci est climatisée et pressurisée. Demandez à votre vétérinaire un cachet que vous administrerez au chien juste avant le départ afin qu'il reste calme et somnolent. Certains vétérinaires préfèrent donner une piqûre dont l'effet dure plus longtemps. Il est conseillé de libérer rapidement votre animal de la consigne à l'arrivée; son voyage n'aura pas été aussi confortable que le vôtre...

## Les déplacements en ville

Dans le métro, à Montréal, vous n'êtes pas autorisé à voyager avec votre chien; seuls les aveugles y sont autorisés. Dans les autobus, les règlements sont plus souples: il est permis de voyager avec un chiot que vous pouvez tenir sur vos genoux; mais, là encore, seuls les aveugles ont la permission d'être accompagnés d'un chien adulte.

Il n'existe pas de règlement spécifique à Montréal en ce qui concerne la prise en charge des chiens dans les taxis. La plupart des chauffeurs les acceptent... sauf ceux qui ont peur d'eux!

## À l'étranger

Les lois concernant le passage des frontières pour les animaux varient d'un pays à l'autre. Soyez en règle, sinon on pourrait vous refuser l'accès du pays où vous désirez vous rendre.

Avant de partir, renseignez-vous auprès du consulat du pays en question ou munissez-vous des brochures disponibles dans les agences de voyages. Plusieurs pays, plus particulièrement ceux qui appartiennent au Commonwealth britannique, vous obligeront à mettre votre Bullmastiff, dès l'arrivée, en quarantaine; d'autres pays vous demanderont de présenter un certificat de vaccination antirabique ou de bonne santé, ou les deux.

Quelques exemples: les *États-Unis* ne vous demandent qu'un certificat de vaccination antirabique délivré plus de 30 jours et moins d'un an avant votre passage de la frontière; ils peuvent également imposer une visite sanitaire au port d'arrivée. Pour la *Grande-Bretagne*, les instructions sont sévères: le Bullmastiff doit être muni d'un certificat de vaccination antirabique et d'un certificat de bonne santé et il sera mis en quarantaine pendant six mois. Il en est de même pour l'*Afrique du Sud, Gibraltar* et *Hong-Kong*. L'*Australie* refuse l'entrée à tout animal domestique. Pour la *France* et la *Belgique*, seul le certificat de vaccination antirabique est demandé. En *Italie*, les deux certificats sont exigés comme d'ailleurs en *Israël*, en *Argentine*, au *Brésil*, au *Danemark*, en *Égypte*, en *Espagne*, en *Grèce*, en *Hongrie*, au *Mexique* et en *Tunisie*. En *Allemagne fédérale*, on ne demande que le certificat de bonne santé.

# Votre Bullmastiff voyage seul

Vous avez seulement à présenter votre chien un bon moment avant le départ et surtout à être certain que la personne qui doit l'accueillir sera présente à l'arrivée. À toutes fins utiles, donnez l'adresse et le numéro de téléphone de cette personne au tansporteur.

# Petit lexique d'urgence

Il se pourrait qu vous vous trouviez dans un pays non francophone et que vous ayez à demander des renseignements au bénéfice de votre compagnon. Voici quelques phrases indispensables.

## Où habite le vétérinaire le plus proche?

*Anglais:*   Do you know where I can find a vet for my dog?

*Espagnol:*   ¿Dónde vive el veterinario más próximo?

*Italien:*   Dove abita il veterinario piu vicino?

*Allemand:*   Wo kann ich schnellsten einen Tierarzt finden?

## Où se trouve la clinique vétérinaire la plus proche? C'est urgent.

*Anglais:*   Where's the nearest veterinary surgery? It's an emergency.

| Espagnol: | ¿Dónde hay une clínica para los animales más próxima de aqui? Es muy urgente. |
| Italien: | Dove si trova la clinica veterinaria piu vicina? E urgent. |
| Allemand: | Wo finde ich die nächste Tierarzklinik? Es ist dringlich. |

## Y a-t-il une permanence vétérinaire la nuit? le dimanche?

| Anglais: | Is the veterinary surgery open all night and on Sundays? |
| Espagnol: | ¿Es abierta permanentemente la clínica durante la noche y los domingos? |
| Italien: | La domenica, c'e una permanenza veterinaria di notte? |
| Allemand: | Gibt es dort Einen Nachtdienst, und einen Sonntagsdienst? |

## Cet hôtel, ce restaurant accepte-t-il les chiens? a-t-il des repas prévus pour eux?

| Anglais: | May I stay in this hotel, in this restaurant, with my dog? Do you feed dogs in this hotel? In this restaurant? |
| Espagnol: | ¿Están autorizados los perros en este hotel o en este restaurante? ¿Hay comidas previstas para ellos? |
| Italien: | Questo hotel, questo ristorante, accetta i cani? Sono previsti del pasti anche per loro? |
| Allemand: | Sind Hunde in diesem Hotel, in diesem |

Restaurant erlaubt. Werden die Hunde
auch dort gefuttert?

## J'ai égaré mon chien. Où puis-je m'adresser pour le retrouver?

*Anglais:*    I lost my dog. Where should I call to get him back?

*Espagnol:*    ¿Hé perdido mi perro. ¿dónde puedo dirigirme para encontrarlo?

*Italien:*    Ho peso il mio cane. Dove posso rivolgermi?

*Allemand:*    Ich habe meinem Hund verloren. Wo soll ich mich melden um ihn wiederzufinden?

## Attention à mon chien, il n'aime pas qu'on le caresse.

*Anglais:*    Beware of my dog, he doesn't like being petted.

*Espagnol:*    ¡Atención! Tenga cuidado que mi perro no quiere que nadie le acaricie.

*Italien:*    Attenzione al mio cane, non ama essere accarezzato.

*Allemand:*    Passen sie auf! Mein Hund mag es nicht wenn man ihn streichelt.

## Vendez-vous des aliments pour chien? Où puis-je en trouver?

*Anglais:*    Do you sell pet food? Where can I find some pet food?

*Espagnol:*    ¿Tiene ustéd alimentos para perros en

su tienda? ¿Dónde se pueden hallar esos alimentos?

*Italien:* Vendete gli alimenti per cani? Dove posso trovame?

*Allemand:* Führen Sie auch Futtermittel für Hunde, und wenn nicht, wo kann ich welche bekommen?

# Table des matières

## DÉJÀ PARUS

Vous et vos oiseaux de compagnie
Vous et vos poissons d'aquarium
Vous et votre Berger allemand
Vous et votre Caniche
Vous et votre chat de gouttière
Vous et votre Chow-chow
Vous et votre Husky
Vous et votre Labrador
Vous et votre Boxer
Vous et votre Danois
Vous et votre Doberman
Vous et votre Persan
Vous et votre Setter anglais
Vous et votre Siamois
Vous et votre Yorkshire
Vous et votre Fox-terrier
Vous et votre Schnauzer
Vous et votre Collie

Vous et votre petit rongeur
Vous et votre Dalmatien
Vous et votre Teckel
Vous et votre Beagle
Vous et votre Cocker américain
Vous et votre chat tigré
Vous et votre Chihuahua
Vous et votre Lhassa apso
Vous et votre Lévrier afghan
Vous et votre Shih-tzu
Vous et votre Golden Retriever
Vous et votre Terre-Neuve
Vous et votre serpent
Vous et votre Chartreux
Vous et votre tortue
Vous et votre perroquet
Vous et votre Rottweiler

## À PARAÎTRE

Vous et votre Bulldog
Vous et votre lézard

# Ouvrages parus chez les éditeurs du groupe Sogides

## AFFAIRES

* **Acheter une franchise,** Levasseur, Pierre
* **Bourse, La,** Brown, Mark
* **Comprendre le marketing,** Levasseur, Pierre
* **Devenir exportateur,** Levasseur, Pierre
  **Étiquette des affaires, L',** Jankovic, Elena
* **Faire son testament soi-même,** Poirier, Me Gérald et Lescault-Nadeau, Martine
  **Finances, Les,** Hutzler, Laurie H.
  **Gérer ses ressources humaines,** Levasseur, Pierre

**Gestionnaire, Le,** Colwell, Marian
**Informatique, L',** Cone, E. Paul
* **Lancer son entreprise,** Levasseur, Pierre
  **Leadership, Le,** Cribbin, James
  **Meeting, Le,** Holland, Gary
  **Mémo, Le,** Reinold, Cheryl
* **Ouvrir et gérer un commerce de détail,** Roberge, C.-D. et Charbonneau, A.
  **Patron, Le,** Reinold, Cheryl
* **Stratégies de placements,** Nadeau, Nicole

## ANIMAUX

**Art du dressage, L',** Chartier, Gilles
**Cheval, Le,** Leblanc, Michel
**Chien dans votre vie, Le,** Margolis, M. et Swan, C.
**Éducation du chien de 0 à 6 mois, L',** DeBuyser, Dr Colette et Dehasse, Dr Joël
* **Encyclopédie des oiseaux,** Godfrey, W. Earl
  **Guide de l'oiseau de compagnie, Le,** Dr R. Dean Axelson
  **Guide des oiseaux, Le, T.1,** Stokes, W. Donald
  **Guide des oiseaux, Le, T.2,** Stokes, W. Donald et Stokes, Q. Lilian

* **Mon chat, le soigner, le guérir,** D'Orangeville, Christian
  **Observations sur les mammifères,** Provencher, Paul
* **Papillons du Québec, Les,** Veilleux, Christian et Prévost, Bernard
  **Petite ferme, T.1, Les animaux,** Trait, Jean-Claude
  **Vous et vos oiseaux de compagnie,** Huard-Viau, Jacqueline
  **Vous et vos poissons d'aquarium,** Ganiel, Sonia
  **Vous et votre beagle,** Eylat, Martin
  **Vous et votre berger allemand,** Eylat, Martin

# ANIMAUX

Vous et votre boxer, Herriot, Sylvain
Vous et votre braque allemand,
 Eylat, Martin
Vous et votre caniche, Shira, Sav
Vous et votre chat de gouttière,
 Mamzer, Annie
Vous et votre chat tigré, Eylat, Odette
Vous et votre chihuahua, Eylat, Martin
Vous et votre chow-chow,
 Pierre Boistel
Vous et votre cocker américain,
 Eylat, Martin
Vous et votre collie, Éthier, Léon
Vous et votre dalmatien, Eylat, Martin
Vous et votre danois, Eylat, Martin
Vous et votre doberman, Denis, Paula
Vous et votre fox-terrier, Eylat, Martin
Vous et votre golden retriever,
 Denis, Paula
Vous et votre husky, Eylat, Martin

Vous et votre labrador,
 Van Der Heyden, Pierre
Vous et votre lévrier afghan,
 Eylat, Martin
Vous et votre lhassa apso,
 Van Der Heyden, Pierre
Vous et votre persan, Gadi, Sol
Vous et votre petit rongeur,
 Eylat, Martin
Vous et votre schnauzer, Eylat, Martin
Vous et votre serpent, Deland, Guy
Vous et votre setter anglais,
 Eylat, Martin
Vous et votre shih-tzu, Eylat, Martin
Vous et votre siamois, Eylat, Odette
Vous et votre teckel, Boistel, Pierre
Vous et votre terre-neuve,
 Pacreau, Marie-Edmée
Vous et votre yorkshire,
 Larochelle, Sandra

# ARTISANAT/BRICOLAGE

Art du pliage du papier, L',
 Harbin, Robert
* Artisanat québécois, T.1, Simard, Cyril
* Artisanat québécois, T.2, Simard, Cyril
* Artisanat québécois, T.3, Simard, Cyril
* Artisanat québécois, T.4, Simard, Cyril
 et Bouchard, Jean-Louis
* Construire des cabanes d'oiseaux,
 Dion, André

* Encyclopédie de la maison québécoise,
 Lessard, Michel et Villandré, Gilles
* Encyclopédie des antiquités,
 Lessard, Michel et Marquis, Huguette
* J'apprends à dessiner, Nassh, Joanna
 Taxidermie moderne, La, Labrie, Jean
* Tissage, Le, Grisé-Allard, Jeanne et
 Galarneau, Germaine
 Vitrail, Le, Bettinger, Claude

# BIOGRAPHIES

* Brian Orser - Maître du triple axel,
 Orser, Brian et Milton, Steve
* Dans la fosse aux lions, Chrétien, Jean
* Dans la tempête, Lachance, Micheline
* Duplessis, T.1 - L'ascension,
 Black, Conrad
* Duplessis, T.2 - Le pouvoir,
 Black, Conrad
* Ed Broadbent - La conquête obstinée
 du pouvoir, Steed, Judy
* Establishment canadien, L',
 Newman, Peter C.
* Larry Robinson, Robinson, Larry et
 Goyens, Chrystian
* Michel Robichaud - Monsieur Mode,
 Charest, Nicole

* Monopole, Le, Francis, Diane
* Nouveaux riches, Les,
 Newman, Peter C.
* Paul Desmarais - Un homme et son em-
 pire, Greber, Dave
* Plamondon - Un cœur de rockeur,
 Godbout, Jacques
* Prince de l'Église, Le, Lachance, Micheline
* Québec Inc., Fraser, M.
* Rick Hansen - Vivre sans frontières,
 Hansen, Rick et Taylor, Jim
* Saga des Molson, La, Woods, Shirley
* Sous les arches de McDonald's,
 Love, John F.
* Trétiak, entre Moscou et Montréal,
 Trétiak, Vladislav

## BIOGRAPHIES

* Une femme au sommet - Son
  excellence Jeanne Sauvé,
  Woods, Shirley E.

## CARRIÈRE/VIE PROFESSIONNELLE

* Choix de carrières, T.1, Milot, Guy
* Choix de carrières, T.2, Milot, Guy
* Choix de carrières, T.3, Milot, Guy
  Comment rédiger son curriculum vitae,
  Brazeau, Julie
  Guide du succès, Le, Hopkins, Tom
* Je cherche un emploi, Brazeau, Julie
  Parlez pour qu'on vous écoute,
  Brien, Michèle

Relations publiques, Les, Doin, Richard
  et Lamarre, Daniel
Techniques de vente par téléphone,
  Porterfield, J.-D.
* Test d'aptitude pour choisir sa carrière,
  Barry, Linda et Gale
Une carrière sur mesure,
  Lemyre-Desautels, Denise
Vente, La, Hopkins, Tom

## CUISINE

* À table avec Sœur Angèle,
  Sœur Angèle
* Art d'apprêter les restes, L',
  Lapointe, Suzanne
  Barbecue, Le, Dard, Patrice
* Biscuits, brioches et beignes,
  Saint-Pierre, A.
* Boîte à lunch, La,
  Lambert-Lagacé, Louise
  Brunches et petits déjeuners en fête,
  Bergeron, Yolande
  100 recettes de pain faciles à réaliser,
  Saint-Pierre, Angéline
* Confitures, Les, Godard, Misette
  Congélation de A à Z, La, Hood, Joan
  Congélation des aliments, La,
  Lapointe, Suzanne
  Conserves, Les, Sœur Berthe
  Crème glacée et sorbets, Lebuis, Yves
  et Pauzé, Gilbert
  Crêpes, Les, Letellier, Julien
  Cuisine au wok, Solomon, Charmaine
  Cuisine aux micro-ondes 1 et
  2 portions, Marchand, Marie-Paul
* Cuisine chinoise traditionnelle, La,
  Chen, Jean
* Cuisine créative Campbell, La,
  Cie Campbell
  Cuisine facile aux micro-ondes,
  Saint-Amour, Pauline
* Cuisine joyeuse de Sœur Angèle, La,
  Sœur Angèle
  Cuisine micro-ondes, La, Benoît, Jehane

* Cuisine santé pour les aînés,
  Hunter, Denyse
  Cuisiner avec le four à convection,
  Benoît, Jehane
* Cuisiner avec les champignons sau-
  vages du Québec, Leclerc, Claire L.
  Faire son pain soi-même,
  Murray Gill, Janice
* Faire son vin soi-même,
  Beaucage, André
  Fine cuisine aux micro-ondes, La,
  Dard, Patrice
  Fondues et flambées de maman
  Lapointe, Lapointe, Suzanne
  Fondues, Les, Dard, Patrice
  Je me débrouille en cuisine,
  Richard, Diane
  Livre du café, Le, Letellier, Julien
  Menus pour recevoir, Letellier, Julien
  Muffins, Les, Clubb, Angela
  Nouvelle cuisine micro-ondes I, La,
  Marchand, Marie-Paul et
  Grenier, Nicole
  Nouvelles cuisine micro-ondes II, La,
  Marchand, Marie-Paul et
  Grenier, Nicole
  Omelettes, Les, Letellier, Julien
  Pâtes, Les, Letellier, Julien
* Pâtisserie, La, Bellot, Maurice-Marie
* Recettes au blender, Huot, Juliette
* Recettes de gibier, Lapointe, Suzanne
* Robot culinaire, Le, Martin, Pol

## DIÉTÉTIQUE

Combler ses besoins en calcium,
  Hunter, Denyse
* Compte-calories, Le, Brault-Dubuc, M.
  et Caron Lahaie, L.
* Cuisine du monde entier avec Weight
  Watchers, Weight Watchers
Cuisine sage, Une, Lambert-Lagacé,
  Louise
Défi alimentaire de la femme, Le,
  Lambert-Lagacé, Louise
* Diète Rotation, La, Katahn, Dr Martin
* Diététique dans la vie quotidienne,
  Lambert-Lagacé, Louise
Livre des vitamines, Le, Mervyn, Leonard
Menu de santé, Lambert-Lagacé, Louise
Oubliez vos allergies, et... bon appétit,
  Association de l'information sur les
  allergies

* Petite et grande cuisine végétarienne,
  Bédard, Manon
* Plan d'attaque Weight Watchers, Le,
  Nidetch, Jean
* Plan d'attaque Plus Weight Watchers,
  Le, Nidetch, Jean
* Régimes pour maigrir,
  Beaudoin, Marie-Josée
Sage bouffe de 2 à 6 ans, La,
  Lambert-Lagacé, Louise
* Weight Watchers - Cuisine rapide et
  savoureuse, Weight Watchers
* Weight Watchers - Agenda 85 -
  Français, Weight Watchers
* Weight Watchers - Agenda 85 -
  Anglais, Weight Watchers
* Weight Watchers - Programme -
  Succès Rapide, Weight Watchers

## ENFANCE

* Aider son enfant en maternelle,
  Pedneault-Pontbriand, Louise
Années clés de mon enfant, Les,
  Caplan, Frank et Thérèsa
Art de l'allaitement maternel, L',
  Ligue internationale La Leche
Avoir un enfant après 35 ans,
  Robert, Isabelle
Bientôt maman, Whalley, J., Simkin, P.
  et Keppler, A.
Comment nourrir son enfant,
  Lambert-Lagacé, Louise
Deuxième année de mon enfant, La,
  Caplan, Frank et Thérèsa
Développement psychomoteur du
  bébé, Calvet, Didier
Douze premiers mois de mon enfant,
  Les, Caplan, Frank
* En attendant notre enfant,
  Pratte-Marchessault, Yvette
* Enfant unique, L', Peck, Ellen
Évoluer avec ses enfants,
  Gagné, Pierre-Paul
Exercices aquatiques pour les futures
  mamans, Dussault, J. et Demers, C.
* Femme enceinte, La,
  Bradley, Robert A.

* Futur père, Pratte-Marchessault, Yvette
Jouons avec les lettres,
  Doyon-Richard, Louise
Langage de votre enfant, Le,
  Langevin, Claude
Mal des mots, Le, Thériault, Denise
Manuel Johnson et Johnson des
  premiers soins, Le, Rosenberg,
  Dr Stephen N.
Massage des bébés, Le,
  Auckette, Amédia D.
Mon enfant naîtra-t-il en bonne santé?
  Scher, Jonathan et Dix, Carol
* Pour bébé, le sein ou le biberon?
  Pratte-Marchessault, Yvette
* Pour vous future maman, Sekely, Trude
Préparez votre enfant à l'école,
  Doyon-Richard, Louise
Psychologie de l'enfant de 0 à 10 ans,
  Cholette-Péruse, Françoise
Respirations et positions
  d'accouchement, Dussault, Joanne
Soins de la première année de bébé,
  Les, Kelly, Paula
Tout se joue avant la maternelle,
  Ibuka, Masaru

## ÉSOTÉRISME

Avenir dans les feuilles de thé, L,
Fenton, Sasha
Graphologie, La, Santoy, Claude
Interprétez vos rêves, Stanké, Louis
Lignes de la main, Stanké, Louis

Lire dans les lignes de la main,
Morin, Michel
Vos rêves sont des miroirs, Cayla, Henri
Votre avenir par les cartes,
Stanké, Louis

## HISTOIRE

* Arrivants, Les, Collectif
* Civilisation chinoise, La, Guay, Michel
* Or des cavaliers thraces, L',
Palais de la civilisation

* Samuel de Champlain,
Armstrong, Joe C.W.

## JARDINAGE

* Chasse-insectes pour jardins, Le,
Michaud, O.
* Comment cultiver un jardin potager,
Trait, J.-C.
* Encyclopédie du jardinier,
Perron, W. H.
* Guide complet du jardinage,
Wilson, Charles
J'aime les azalées, Deschênes, Josée
J'aime les cactées, Lamarche, Claude
J'aime les rosiers, Pronovost, René
J'aime les tomates, Berti, Victor

J'aime les violettes africaines,
Davidson, Robert
Jardin d'herbes, Le, Prenis, John
* Je me débrouille en aménagement
extérieur, Bouillon, Daniel et
Boisvert, Claude
* Petite ferme, T.2- Jardin potager,
Trait, Jean-Claude
* Plantes d'intérieur, Les, Pouliot, Paul
* Techniques de jardinage, Les,
Pouliot, Paul
Terrariums, Les, Kayatta, Ken

## JEUX/DIVERTISSEMENTS

* Améliorons notre bridge,
Durand, Charles
* Bridge, Le, Beaulieu, Viviane
* Clés du scrabble, Les, Sigal, Pierre A.
Dictionnaire des mots croisés, noms
communs, Lasnier, Paul
Dictionnaire des mots croisés, noms
propres, Piquette, Robert
Dictionnaire raisonné des mots croisés,
Charron, Jacqueline

* Jouons ensemble, Provost, Pierre
Livre des patiences, Le, Bezanovska, M.
et Kitchevats, P.
Monopoly, Orbanes, Philip
* Ouverture aux échecs, Coudari, Camille
* Scrabble, Le, Gallez, Daniel
Techniques du billard, Morin, Pierre

## LINGUISTIQUE

Anglais par la méthode choc, L',
Morgan, Jean-Louis
J'apprends l'anglais, Sillicani, Gino et
Grisé-Allard, Jeanne

* Secrétaire bilingue, La, Lebel, Wilfrid

## LIVRES PRATIQUES

* **Acheter ou vendre sa maison,**
  Brisebois, Lucille
* **Assemblées délibérantes, Les,**
  Girard, Francine
  **Chasse-insectes dans la maison, Le,**
  Michaud, O.
  **Chasse-taches, Le,** Cassimatis, Jack
* **Comment réduire votre impôt,**
  Leduc-Dallaire, Johanne
* **Guide de la haute-fidélité, Le,**
  Prin, Michel
  **Je me débrouille en aménagement
  intérieur,** Bouillon, Daniel et
  Boisvert, Claude
  **Livre de l'étiquette, Le,** du Coffre,
  Marguerite
* **Loi et vos droits, La,**
  Marchand, Me Paul-Émile
* **Maîtriser son doigté sur un clavier,**
  Lemire, Jean-Paul
* **Mécanique de mon auto, La,** Time-Life
* **Mon automobile,** Collège Marie-Victorin
  et Gouv. du Québec

**Notre mariage (étiquette et
  planification),**
  du Coffre, Marguerite
* **Petits appareils électriques,**
  Collaboration
  **Petit guide des grands vins, Le,**
  Orhon, Jacques
* **Piscines, barbecues et patio,**
  Collaboration
* **Roulez sans vous faire rouler, T.3,**
  Edmonston, Philippe
  **Séjour dans les auberges du Québec,**
  Cazelais, Normand et
  Coulon, Jacques
  **Se protéger contre le vol,**
  Kabundi, Marcel et
  Normandeau, André
* **Tout ce que vous devez savoir sur le
  condominium,** Dubois, Robert
  **Univers de l'astronomie, L',**
  Tocquet, Robert
  **Week-end à New York,** Tavernier-
  Cartier, Lise

## MUSIQUE

**Chant sans professeur, Le,**
  Hewitt, Graham
**Guitare, La,** Collins, Peter
**Guitare sans professeur, La,**
  Evans, Roger

**Piano sans professeur, Le,** Evans, Roger
**Solfège sans professeur, Le,**
  Evans, Roger

## NOTRE TRADITION

* **Encyclopédie du Québec, T.2,**
  Landry, Louis
  **Généalogie, La,** Faribeault-Beauregard,
  M. et Beauregard Malak, E.
* **Maison traditionnelle au Québec, La,**
  Lessard, Michel

* **Moulins à eau de la vallée du Saint-
  Laurent, Les,** Villeneuve, Adam
* **Sculpture ancienne au Québec, La,**
  Porter, John R. et Bélisle, Jean
* **Temps des fêtes au Québec, Le,**
  Montpetit, Raymond

## PHOTOGRAPHIE

**Apprenez la photographie avec
  Antoine Désilets,** Désilets, Antoine
**8/Super 8/16,** Lafrance, André
**Fabuleuse lumière canadienne,**
  Hines, Sherman
* **Initiation à la photographie,**
  London, Barbara

* **Initiation à la photographie-Canon,**
  London, Barbara
* **Initiation à la photographie-Minolta,**
  London, Barbara
* **Initiation à la photographie-Nikon,**
  London, Barbara

## PHOTOGRAPHIE

* Initiation à la photographie-Olympus,
London, Barbara
* Initiation à la photographie-Pentax,
London, Barbara

Photo à la portée de tous, La,
Désilets, Antoine

## PSYCHOLOGIE

Aider mon patron à m'aider,
Houde, Eugène
* Amour de l'exigence à la préférence,
L', Auger, Lucien
Apprivoiser l'ennemi intérieur,
Bach, D$^r$ G. et Torbet, L.
Art d'aider, L', Carkhuff, Robert R.
Auto-développement, L', Garneau, Jean
* Bonheur au travail, Le, Houde, Eugène
Bonheur possible, Le, Blondin, Robert
Ces hommes qui méprisent les
femmes... et les femmes qui les
aiment, Forward, D$^r$ S. et
Torres, J.
Changer ensemble, les étapes du
couple, Campbell, Suzan M.
Chimie de l'amour, La,
Liebowitz, Michael
Comment animer un groupe,
Office Catéchèse
Comment déborder d'énergie,
Simard, Jean-Paul
Communication dans le couple, La,
Granger, Luc
Communication et épanouissement
personnel, Auger, Lucien
Contact, Zunin, L. et N.
Découvrir un sens à sa vie avec la logo-
thérapie, Frankl, D$^r$ V.
* Dynamique des groupes, Aubry, J.-M.
et Saint-Arnaud, Y.
Élever des enfants sans perdre la
boule, Auger, Lucien
Enfants de l'autre, Les, Paris, Erna
Être soi-même, Corkille Briggs, D.
Facteur chance, Le, Gunther, Max
Infidélité, L', Leigh, Wendy
Intuition, L', Goldberg, Philip
* J'aime, Saint-Arnaud, Yves
Journal intime intensif, Le, Progoff, Ira
Mensonge amoureux, Le,
Blondin, Robert
Parce que je crois aux enfants,
Ruffo, Andrée

Parle-moi... j'ai des choses à te dire,
Salomé, Jacques
Perdant / Gagnant - Réussissez vos
échecs, Hyatt, Carole et
Gottlieb, Linda
* Personne humaine, La ,
Saint-Arnaud, Yves
* Plaisirs du stress, Les,
Hanson, D$^r$ Peter, G.
Pourquoi l'autre et pas moi? - Le droit
à la jalousie, Auger, D$^r$ Louise
Prévenir et surmonter la déprime,
Auger, Lucien
* Prévoir les belles années de la retraite,
D. Gordon, Michael
* Psychologie de l'amour romantique,
Branden, D$^r$ N.
Puissance de l'intention, La,
Leider, R.-J.
S'affirmer et communiquer, Beaudry,
Madeleine et Boisvert, J.R.
S'aider soi-même, Auger, Lucien
S'aider soi-même d'avantage,
Auger, Lucien
* S'aimer pour la vie, Wanderer, D$^r$ Zev
Savoir organiser, savoir décider,
Lefebvre, Gérald
Savoir relaxer pour combattre le
stress, Jacobson, D$^r$ Edmund
Se changer, Mahoney, Michael
Se comprendre soi-même par les tests,
Collectif
Se connaître soi-même, Artaud, Gérard
Se créer par la Gestalt, Zinker, Joseph
* Se guérir de la sottise, Auger, Lucien
Si seulement je pouvais changer!
Lynes, P.
Tendresse, La, Wolfl, N.
Vaincre ses peurs, Auger, Lucien
Vivre avec sa tête ou avec son cœur,
Auger, Lucien

## ROMANS/ESSAIS/DOCUMENTS

* **Baie d'Hudson, La,** Newman, Peter, C.
* **Conquérants des grands espaces, Les,** Newman, Peter, C.
* **Des Canadiens dans l'espace,** Dotto, Lydia
* **Dieu ne joue pas aux dés,** Laborit, Henri
* **Frères divorcés, Les,** Godin, Pierre
* **Insolences du Frère Untel, Les,** Desbiens, Jean-Paul
* **J'parle tout seul,** Coderre, Émile

**Option Québec,** Lévesque, René
* **Oui,** Lévesque, René
* **Provigo,** Provost, René et Chartrand, Maurice
**Sur les ailes du temps (Air Canada),** Smith, Philip
* **Telle est ma position,** Mulroney, Brian
* **Trois semaines dans le hall du Sénat,** Hébert, Jacques
* **Un second souffle,** Hébert, Diane

## SANTÉ/BEAUTÉ

* **Ablation de la vésicule biliaire, L',** Paquet, Jean-Claude
* **Ablation des calculs urinaires, L',** Paquet, Jean-Claude
* **Ablation du sein, L',** Paquet, Jean-claude
* **Allergies, Les,** Delorme, D$^r$ Pierre
**Bien vivre sa ménopause,** Gendron, D$^r$ Lionel
**Charme et sex-appeal au masculin,** Lemelin, Mireille
**Chasse-rides,** Leprince, C.
* **Chirurgie vasculaire, La,** Paquet, Jean-Claude
**Comment devenir et rester mince,** Mirkin, D$^r$ Gabe
**De belles jambes à tout âge,** Lanctôt, D$^r$ G.
* **Dialyse et la greffe du rein, La,** Paquet, Jean-Claude
**Être belle pour la vie,** Bronwen, Meredith
**Glaucomes et les cataractes, Les,** Paquet, Jean-Claude
* **Grandir en 100 exercices,** Berthelet, Pierre
* **Hernies discales, Les,** Paquet, Jean-Claude
**Hystérectomie, L',** Alix, Suzanne
**Maigrir: La fin de l'obsession,** Orbach, Susie
* **Malformations cardiaques congénitales, Les,** Paquet, Jean-Claude
**Maux de tête et migraines,** Meloche, D$^r$ J. , Dorion, J.
**Perdre son ventre en 30 jours H-F,** Burstein, Nancy et Roy, Matthews

* **Pontage coronarien, Le,** Paquet, Jean-Claude
* **Prothèses d'articulation,** Paquet, Jean-Claude
* **Redressements de la colonne,** Paquet, Jean-Claude
* **Remplacements valvulaires, Les,** Paquet, Jean-Claude
**Ronfleurs, réveillez-vous,** Piché, D$^r$ J. et Delage, J.
**Syndrome prémenstruel, Le,** Shreeve, D$^r$ Caroline
**Travailler devant un écran,** Feeley, D$^r$ Helen
**30 jours pour avoir de beaux cheveux,** Davis, Julie
**30 jours pour avoir de beaux ongles,** Bozic, Patricia
**30 jours pour avoir de beaux seins,** Larkin, Régina
**30 jours pour avoir de belles fesses,** Cox, D. et Davis, Julie
**30 jours pour avoir un beau teint,** Zizmon, D$^r$ Jonathan
**30 jours pour cesser de fumer,** Holland, Gary et Weiss, Herman
**30 jours pour mieux s'organiser,** Holland, Gary
**30 jours pour redevenir un couple amoureux,** Nida, Patricia et Cooney, Kevin
**30 jours pour un plus grand épanouissement sexuel,** Schneider, A.
**Vos dents,** Kandelman, D$^r$ Daniel
**Vos yeux,** Chartrand, Marie et Lepage-Durand, Micheline

## SEXUALITÉ

Contacts sexuels sans risques,
  I.A.S.H.S.
* Guide illustré du plaisir sexuel,
  Corey, Dr Robert et Helg, E.
Ma sexualité de 0 à 6 ans,
  Robert, Jocelyne
Ma sexualité de 6 à 9 ans,
  Robert, Jocelyne
Ma sexualité de 9 à 12 ans,
  Robert, Jocelyne
Mille et une bonnes raisons pour le
  convaincre d'enfiler un condom et
  pourquoi c'est important pour
  vous..., Bretman, Patti,
  Knutson, Kim et Reed, Paul

* Nous on en parle, Lamarche, M. et
  Danheux, P.
Pour jeunes seulement, photoroman
  d'éducation à la sexualité,
  Robert, Jocelyne
Sexe au féminin, Le, Kerr, Carmen
Sexualité du jeune adolescent, La,
  Gendron, Lionel
Shiatsu et sensualité, Rioux, Yuki
* 100 trucs de billard, Morin, Pierre

## SPORTS

Apprenez à patiner, Marcotte, Gaston
Arc et la chasse, L', Guardo, Greg
Armes de chasse, Les,
  Petit-Martinon, Charles
Badminton, Le, Corbeil, Jean
* Canadiens de 1910 à nos jours, Les,
  Turowetz, Allan et Goyens, C.
Carte et boussole, Kjellstrom, Bjorn
Comment se sortir du trou au golf,
  Brien, Luc
Comment vivre dans la nature,
  Rivière, Bill
Corrigez vos défauts au golf,
  Bergeron, Yves
* Curling, Le, Lukowich, E.
De la hanche aux doigts de pieds,
  Schneider, Myles J. et
  Sussman, Mark D.
Devenir gardien de but au hockey,
  Allaire, François
Golf au féminin, Le, Bergeron, Yves
Grand livre des sports, Le,
  Groupe Diagram
Guide complet de la pêche à la
  mouche, Le, Blais, J.-Y.
Guide complet du judo, Le, Arpin, Louis
Guide complet du self-defense, Le,
  Arpin, Louis
Guide de l'alpinisme, Le,
  Cappon, Massimo
Guide de la survie de l'armée
  américaine, Le, Collectif
Guide des jeux scouts, Association des
  scouts
Guide du trappeur, Le, Provencher, Paul
Initiation à la planche à voile, Wulff, D.
  et Morch, K.

J'apprends à nager, Lacoursière, Réjean
Je me débrouille à la chasse,
  Richard, Gilles et Vincent, Serge
Je me débrouille à la pêche,
  Vincent, Serge
Je me débrouille à vélo,
  Labrecque, Michel et Boivin, Robert
Je me débrouille dans une
  embarcation, Choquette, Robert
Jogging, Le, Chevalier, Richard
* Jouez gagnant au golf, Brien, Luc
* Larry Robinson, le jeu défensif,
  Robinson, Larry
Manuel de pilotage, Transport Canada
Marathon pour tous, Le, Anctil, Pierre
Maxi-performance, Garfield, Charles A.
  et Bennett, Hal Zina
Mon coup de patin, Wild, John
Musculation pour tous, La,
  Laferrière, Serge
* Partons en camping, Satterfield, Archie
  et Bauer, Eddie
Partons sac au dos, Satterfield, Archie
  et Bauer, Eddie
Passes au hockey, Chapleau, Claude
Pêche à la mouche, La, Marleau, Serge
Pêche à la mouche, Vincent, Serge
Planche à voile, La, Maillefer, Gérard
Programme XBX, Aviation Royale du
  Canada
Racquetball, Corbeil, Jean
Racquetball plus, Corbeil, Jean
Rivières et lacs canotables, Fédération
  québécoise du canot-camping
S'améliorer au tennis, Chevalier Richard
Saumon, Le, Dubé, J.-P.

# SPORTS

**Secrets du baseball, Les,**
Raymond, Claude
**Ski de randonnée, Le,** Corbeil, Jean
**Taxidermie, La,** Labrie, Jean
**Taxidermie moderne, La,** Labrie, Jean
**Techniques du billard,** Morin, Pierre
**Techniques du golf,** Brien, Luc
**Techniques du hockey en URSS,**
Dyotte, Guy

**Techniques du ski alpin,** Campbell, S.,
Lundberg, M.
**Techniques du tennis,** Ellwanger
**Tennis, Le,** Roch, Denis
\* **Viens jouer,** Villeneuve, Michel José
**Vivre en forêt,** Provencher, Paul
**Volley-ball, Le,** Fédération de volley-ball

le jour,
éditeur

## ÉSOTÉRISME

Astrologie pratique, L',
  Reinicke, Wolfgang
Grand livre de la cartomancie, Le,
  Von Lentner, G.
Grand livre des horoscopes chinois, Le,
  Lau, Theodora

* Horoscope chinois, Del Sol, Paula
  Lu dans les cartes, Jones, Marthy
  Synastrie, La, Thornton, Penny
  Traité d'astrologie, Hirsig, H.

## GUIDES PRATIQUES/JEUX/LOISIRS

* 1,500 prénoms et significations,
  Grisé-Allard, J.

* Backgammon, Lesage, D.

## NOTRE TRADITION

* Lettre à un Français qui veut émigrer
  au Québec, Dubuc, Carl

## PSYCHOLOGIE/VIE AFFECTIVE ET PROFESSIONNELLE

Adieu, Halpern, Dr Howard
Adieu Tarzan, Franks, Helen
Aimer son prochain comme soi-même,
  Murphy, Dr Joseph
* Anti-stress, L', Eylat, Odette
Apprendre à vivre et à aimer,
  Buscaglia, L.
Art d'engager la conversation et de se
  faire des amis, L', Gabor, Don
Art de convaincre, L', Heinz, Ryborz
* Art d'être égoïste, L', Kirschner, Joseph
Autre femme, L', Sévigny, Hélène
Bains flottants, Les, Hutchison, Michael
Ces hommes qui ne communiquent
  pas, Naifeh S. et White, S.G.
Ces vérités vont changer votre vie,
  Murphy, Dr Joseph
Comment aimer vivre seul,
  Shanon, Lynn
Comment dominer et influencer les
  autres, Gabriel, H.W.
Comment faire l'amour à la même per-
  sonne pour le reste de votre vie!,
  O'Connor, D.
Comment faire l'amour à une femme,
  Morgenstern, M.
Comment faire l'amour à un homme,
  Penney, A.
Comment faire l'amour ensemble,
  Penney, A.

Contacts en or avec votre clientèle,
  Sapin Gold, Carol
Contrôle de soi par la relaxation, Le,
  Marcotte, Claude
Dire oui à l'amour, Buscaglia, Léo
* Famille moderne et son avenir, La,
  Richards, Lyn
Femme de demain, Keeton, K.
Gestalt, La, Polster, Erving
Homme au dessert, Un,
  Friedman, Sonya
Homme nouveau, L',
  Bodymind, Dychtwald Ken
Influence de la couleur, L',
  Wood, Betty
Jeux de nuit, Bruchez, C.
Maigrir sans obsession, Orbach, Susie
Maîtriser son destin, Kirschner, Joseph
Massage en profondeur, Le, Painter, J.,
  Bélair, M.
Mémoire, La, Loftus, Élizabeth
* Mémoire à tout âge, La,
  Dereskey, Ladislaus
Miracle de votre esprit, Le,
  Murphy, Dr Joseph
Négocier entre vaincre et convaincre,
  Warschaw, Dr Tessa
On n'a rien pour rien, Vincent, Raymond
Oracle de votre subconscient, L',
  Murphy, Dr Joseph

## PSYCHOLOGIE/VIE AFFECTIVE ET PROFESSIONNELLE

**Passion du succès, La,** Vincent, R.
**Pensée constructive et bon sens, La,**
  Vincent, Raymond
* **Personnalité, La,** Buscaglia, Léo
**Petit répertoire des excuses, Le,**
  Charbonneau, C., Caron, N.
**Pourquoi remettre à plus tard?,**
  Burka, Jane B., Yuen, L.M.
**Pouvoir de votre cerveau, Le,**
  Brown, Barbara
**Puissance de votre subconscient, La,**
  Murphy, D$^r$ Joseph
**Réfléchissez et devenez riche,**
  Hill, Napoleon
**S'aimer ou le défi des relations**
  **humaines,** Buscaglia, Léo

**Sexualité expliquée aux adolescents,**
  **La,** Boudreau, Y.
**Succès par la pensée constructive, Le,**
  Hill, Napoleon et Stone, W.-C.
**Transformez vos faiblesses en force,**
  Bloomfield, D$^r$ Harold
**Triomphez de vous-même et des**
  **autres,** Murphy, D$^r$ Joseph
**Univers de mon subconscient, L',**
  Vincent, Raymond
**Vaincre la dépression par la volonté et**
  **l'action,** Marcotte, Claude
**Vieillir en beauté,** Oberleder, Muriel
**Vivre avec les imperfections de**
  **l'autre,** Janda, D$^r$ Louis H.
**Vivre c'est vendre,** Chaput, Jean-Marc

## ROMANS/ESSAIS

* **Affrontement, L',** Lamoureux, Henri
* **C't'a ton tour Laura Cadieux,**
  Tremblay, Michel
* **Cœur de la baleine bleue, Le,**
  Poulin, Jacques
* **Coffret petit jour,** Martucci, Abbé Jean
* **Contes pour buveurs attardés,**
  Tremblay, Michel
* **De Z à A,** Losique, Serge
* **Femmes et politique,** Cohen, Yolande

* **Il est par là le soleil,** Carrier, Roch
* **Jean-Paul ou les hasards de la vie,**
  Bellier, Marcel
* **Neige et le feu, La,** Baillargeon, Pierre
* **Objectif camouflé,** Porter, Anna
* **Oslovik fait la bombe,** Oslovik
* **Train de Maxwell, Le,** Hyde, Christopher
* **Vatican -Le trésor de St-Pierre,**
  Malachi, Martin

## SANTÉ

**Tao de longue vie, Le,**
  Soo, Chee

**Vaincre l'insomnie,** Filion, Michel et
  Boisvert, Jean-Marie

## SPORT

* **Guide des rivières du Québec,**
  Fédération cano-kayac

* **Ski nordique de randonnée,**
  Brady, Michael

## TÉMOIGNAGES

**Merci pour mon cancer,**
  De Villemarie, Michelle

Quinze

## COLLECTIFS DE NOUVELLES

## DIVERS

## DIVERS

* **Mythe de Nelligan, Le,** Larose, Jean
* **Nouveau Canada à notre mesure,**
  Matte, René
* **Papineau,** De Lamirande, Claire
* **Personne ne voudrait savoir,**
  Schirm, François
* **Philosophe chat, Le,** Savoie, Roger
* **Pour une économie du bon sens,**
  Bailey, Arthur
* **Québec sans le Canada, Le,**
  Harbron, John D.

* **Qui a tué Blanche Garneau?,**
  Bertrand, Réal
* **Réformiste, Le,** Godbout, Jacques
* **Relations du travail,** Centre des
  dirigeants d'entreprise
* **Sauver le monde,** Sanger, Clyde
* **Silences à voix haute,**
  Harel, Jean-Pierre

## LIVRES DE POCHES 10 /10

* **37 1/2 AA,** Leblanc, Louise
* **Aaron,** Thériault, Yves
* **Agaguk,** Thériault, Yves
* **Blocs erratiques,** Aquin, Hubert
* **Bousille et les justes,** Gélinas, Gratien
* **Chère voisine,** Brouillet, Chrystine
* **Cul-de-sac,** Thériault, Yves
* **Demi-civilisés, Les,** Harvey, Jean-Charles
* **Dernier havre, Le,** Thériault, Yves
* **Double suspect, Le,** Monette, Madeleine

* **Faire sa mort comme faire l'amour,**
  Turgeon, Pierre
* **Fille laide, La,** Thériault, Yves
* **Fuites et poursuites,** Collectif
* **Première personne, La,** Turgeon, Pierre
* **Scouine, La,** Laberge, Albert
* **Simple soldat, Un,** Dubé, Marcel
* **Souffle de l'Harmattan, Le,**
  Trudel, Sylvain
* **Tayaout,** Thériault, Yves

## LIVRES JEUNESSE

* **Marcus, fils de la louve,** Guay, Michel et
  Bernier, Jean

## MÉMOIRES D'HOMME

* **À diable-vent,** Gauthier Chassé, Hélène
* **Barbes-bleues, Les,** Bergeron, Bertrand
* **C'était la plus jolie des filles,**
  Deschênes, Donald
* **Bête à sept têtes et autres contes de
  la Mauricie, La,** Legaré, Clément
* **Contes de bûcherons,**
  Dupont, Jean-Claude
* **Corbeau du Mont-de-la-Jeunesse, Le,**
  Desjardins, Philémon et
  Lamontagne, Gilles

* **Guide raisonné des jurons,**
  Pichette, Jean
* **Menteries drôles et merveilleuses,**
  Laforte, Conrad
* **Oiseau de la vérité, L',** Aucoin, Gérard
* **Pierre La Fève et autres contes de la
  Mauricie,** Legaré, Clément

## ROMANS/THÉÂTRE

* **1, place du Québec, Paris VIe,**
  Saint-Georges, Gérard
* **7° de solitude ouest,** Blondin, Robert
* **37 1/2 AA,** Leblanc, Louise
* **Ah! l'amour l'amour,** Audet, Noël
* **Amantes,** Brossard, Nicole
* **Amour venin, L',** Schallingher, Sophie
* **Aube de Suse, L',** Forest, Jean
* **Aventure de Blanche Morti, L',**
  Beaudin-Beaupré, Aline
* **Baby-boomers,** Vigneault, Réjean
* **Belle épouvante, La,** Lalonde, Robert
* **Black Magic,** Fontaine, Rachel
* **Cœur sur les lèvres, Le,**
  Beaudin-Beaupré, Aline
* **Confessions d'un enfant d'un
  demi-siècle,** Lamarche, Claude
* **Coup de foudre,** Brouillet, Chrystine
* **Couvade, La,** Baillie, Robert
* **Danseuses et autres nouvelles, Les,**
  Atwood, Margaret
* **Double suspect, Le,** Monette, Madeleine
* **Entre temps,** Marteau, Robert
* **Et puis tout est silence,** Jasmin, Claude
* **Été sans retour, L',** Gevry, Gérard
* **Filles de beauté, Des,** Baillie, Robert
* **Fleur aux dents, La,** Archambault, Gilles
* **French Kiss,** Brossard, Nicole
* **Fridolinades, T. 1, (1945-1946),**
  Gélinas, Gratien
* **Fridolinades, T. 2, (1943-1944),**
  Gélinas, Gratien
* **Fridolinades, T. 3, (1941-1942),**
  Gélinas, Gratien
* **Fridolinades, T. 4, (1938-39-40),**
  Gélinas, Gratien
* **Grand rêve de Madame Wagner, Le,**
  Lavigne, Nicole
* **Héritiers, Les,** Doyon, Louise
* **Hier, les enfants dansaient,**
  Gélinas, Gratien

* **Holyoke,** Hébert, François
* **IXE-13,** Saurel, Pierre
* **Jérémie ou le Bal des pupilles,**
  Gendron, Marc
* **Livre, Un,** Brossard, Nicole
* **Loft Story,** Sansfaçon, Jean-Robert
* **Maîtresse d'école, La,** Dessureault, Guy
* **Marquée au corps,** Atwood, Margaret
* **Mensonge de Maillard, Le,**
  Lavoie, Gaétan
* **Mémoire de femme, De,**
  Andersen, Marguerite
* **Mère des herbes, La,**
  Marchessault, Jovette
* **Mrs Craddock,** Maugham, W. Somerset
* **Nouvelle Alliance, La,** Fortier, Jacques
* **Nuit en solo,** Pollak, Véra
* **Ours, L',** Engel, Marian
* **Passeport pour la liberté,**
  Beaudet, Raymond
* **Petites violences,** Monette, Madeleine
* **Père de Lisa, Le,** Fréchette, José
* **Plaisirs de la mélancolie,**
  Archambault, Gilles
* **Pop Corn,** Leblanc, Louise
* **Printemps peut attendre, Le,**
  Dahan, Andrée
* **Rose-Rouge,** Pollak, Véra
* **Sang de l'or, Le,** Leblanc, Louise
* **Sold Out,** Brossard, Nicole
* **Souffle de l'Harmattan, Le,**
  Trudel, Sylvain
* **So Uk,** Larche, Marcel
* **Triangle brisé, Le,** Latour, Christine
* **Vaincre sans armes,**
  Descarries, Michel et Thérèse
* **Y'a pas de métro à Gélude-la-Roche,**
  Martel, Pierre